P9-CMF-219

La Malquerida

JACINTO BENAVENTE

La Malquerida

EDITED WITH INTRODUCTION
NOTES AND VOCABULARY BY

PAUL T. MANCHESTER
VANDERBILT UNIVERSITY

authorized edition

APPLETON-CENTURY-CROFTS, INC.
NEW YORK

511

MANUFACTURED IN THE
UNITED STATES OF AMERICA

Contents

Introduction

THE CLOSE of the nineteenth century marks a renaissance in all genres of Spanish literature. In the drama, a decided change in technique and a modern spirit stand out in vivid contrast to the belated romanticism of José Echegaray, the traditionalism of the old Spanish school, and the decadent farce and melodrama which had held the boards so long. Heroic sentimentalism gives place to realism in psychological studies and to the satire of social life and conventions.

Pérez Galdós introduced the realistic drama into Spain. Jacinto Benavente, Martínez Sierra, the brothers Alvarez Quintero, Eduardo Marquina, Linares Rivas, and other dramatic writers have added to it originality, structural technique, poetry, humor, social satire, philosophical idealism, didacticism, symbolism, the drama of ideas, the social and psychological drama, and dramatic criticism, bringing Spanish drama of the twentieth century to universal recognition in the theater of today.

Jacinto Benavente has commanded the attention and praise of critics everywhere for his fine art, his subtle irony, his originality, and his philosophical idealism. As a thinker and dramatic craftsman he stands out as the most stimulating writer of twentieth-century Spain. He has written more than a hundred dramatic pieces, which include monologues, dialogues, three-, four-, and five-act dramas, comic skits, farces, *sainetes,* and *zarzuelas*. In realistic drama of individual life, he portrays through psychological observation and satire types of everyday Spanish life which are so lifelike that they become universal in application.

Jacinto Benavente y Martínez was born in Madrid in 1866. Much of his childhood was spent in reading and in contemplation. His father, a specialist in children's diseases, was one of the best-known doctors of Madrid. As a child, Jacinto often accompanied his mother in her social visits among the women of the upper middle class. These early impressions and associations gave him a great love for children and a deep understanding of feminine psychology, which are seen in many of his contributions to the theater. His childhood was spent in Madrid, with occasional visits to Paris. Ample opportunity was given him to see many plays and to meet theatrical people. His desire to become an actor caused him to write his first play, in the hope that he might have the opportunity to play one of its roles. He read with enthusiasm all the great Spanish dramatists, and between the ages of twelve and fifteen he learned French, Italian, and English so that he might be able to read the dramas of those languages. He became an ardent admirer of Musset, Molière, and Shakespeare, and their influence is seen in his writings.

He studied law at the University of Madrid, but on the death of his father he gave up his studies in order to devote all his time to literature. His father left him a fortune sufficient to allow him to study and travel widely. A student of human nature, Benavente liked to converse with people of all classes, especially with uncultured and simple folk. He was fascinated by actors, especially clowns, and for a time traveled with a circus. Contacts with all types of people gave him a broad knowledge of character and of cosmopolitan society.

He has led an active life in the literary world of the past fifty years as poet, critic, and dramatist—a second Lope de Vega in the great number of contributions of Spanish dramatic pieces, in the breadth of his genius, and in the popular praise of his generation.

His first literary venture was *Versos,* a collection of poems which are imitations of Bécquer and Campoamor, though his first publication was *Teatro fantástico* (1892), a collection of romantic and fantastic dialogues and sketches which reveal the author's understanding of human nature, his mature thought, his keen satire, and his philosophical intent, as well as a beautiful and smooth Castilian which was to become a model for many prose writers of the "generation of '98." These first publications were followed by *Figulinas* and *Vilanos,* volumes of stories, articles, and dialogues. *Cartas de mujeres* (1893) introduces a simplicity of style which is in marked contrast to the heaviness of the prose style of the novelists of realism. It is a collection of letters, sentimental in tone, models of satiric craftsmanship and rhetoric, which reveal at this early period Benavente's understanding of feminine psychology.

El nido ajeno, the first play produced in Madrid, was presented in the Teatro de la Comedia in 1894. As a picture of elegant Madrid society, this play was too realistic to be well received by the public. The popularity of Echegaray and Galdós was too great for Benavente's new simplicity and lack of artificiality and melodrama.

The next play, *Gente conocida,* presented in 1896, portrays

Madrid life of the period. The vices and unpleasant truths behind an affected show of cultured life are artistically revealed within the sparkling conversation of characters well known to Madrid society. There is no moralizing, but rather a delicate though lashing satire in humorous and natural dialogues, with shrewd psychological observations free from the noisy action and preaching of the earlier drama.

La comida de las fieras (1898) is a realistic picture of impoverished aristocrats. The decayed nobility are presented as clever, subtle, scheming, and pitiless in their selfishness, having little care for virtue and the higher values of life, but living a sham of social conventions and niceties, affectations, and shallow thought.

In these first dramas there are none of the impossible situations, the heavy dialogues, and the long-drawn-out explanations that had been so long in vogue. There is evidence of reaction against the worn-out, rigid traditions of Spanish classical romanticism. Subtle, penetrating psychological analysis and clever, witty dialogue are introduced. The style is fresh and vivacious, exhibiting the delicate shades of color, the refined grace, and the ingeniousness of the French theater. Tiresome monologues and impossible asides give place to short and interrupted phrases. The typical villain and the perfect hero are supplanted by living beings in natural surroundings of everyday life. Originality and a keen insight into character are evidenced in an intimate balancing of the good and the bad in each character. Believing that the function of the theater is to portray on the stage life as it is, Benavente presents a phase of modern society as he sees it, does no moralizing, but allows the audience to draw its own conclusions. He pictures the aristocracy and the middle class of Madrid in their insincerity and pride of position and wealth, not however as essentially Spanish, but as examples of a universal phenomenon. With little plot and almost no action he makes these characters live on the stage and speak a natural, sparkling, and fluent language which presents a psychological study of character rather than an intriguing, well-formed dramatic plot. Character and motives are revealed through the mouths of the speakers. Stage directions, explanations, and descriptions are reduced to a minimum.

The dramas written before 1903 are all satirical studies of degenerate types of Madrid society, with an occasional admirable character, generally a woman, presented as a striking contrast. In addition to those mentioned, the following early dramas show the author to be a keen student of modern social life and a critic of its shams and weaknesses: *La gobernadora* (1901), a satire on provincial political corruption; *La gata de Angora* (1900), showing the bad influence of an ambitious, frivolous woman of wealth who is pampered until she becomes as selfish and cruel as the Angora cat; *Lo cursi* (1901), revealing the tragedies of the modern marriage of convenience, and the bad taste and affectation of an ambitious woman who dreads being commonplace or *cursi* and tries to be ultramodern; *El automóvil* (1902), satirizing the automobile craze of the early nineteen hundreds; *El tren de los maridos* (1902), on certain Madrid customs. These dramas are faithful pictures of Madrid society of the period, a society losing its *casticismo* character and taking on the vices—with none of the virtues—of other European capitals. The public was slow to appreciate the refined art of Benavente's satire, and the portraits were too unflattering for Madrid society to enjoy, but with the turn of the century he had become the most popular dramatist of Spain. The author tells us that in these dramas he is portraying Spanish people who are like all other peoples throughout the world. Symbolic personages, rural and exotic types, appear in his later dramas.

In addition to writing plays, Benavente directed in 1898 *La vida literaria,* the mouthpiece of many writers of the "generation of '98," succeeding Clarín as editor. From 1906 to 1908 and from 1914 to 1916 he published weekly articles in the literary review *El imparcial,* which were later published in six volumes entitled *De sobremesa.* These writings deal with theatrical subjects, dramatic criticism, and his views on social customs. They are trivial rather than philosophical in character, but they show Benavente to be a clever and fearless critic. This is also revealed in *Teatro del pueblo,* a collection of essays on the theater, and in prefaces of his early period.

A departure from the satirical drama is seen in the one-act farces *Operación quirúrgica* (1899), *Despedida cruel* (1899), *Por la herida* (1900), and *Modas* (1900), which are written in a much lighter vein. The musical comedy is represented by *Teatro feminista* (1899) and *Viaje de instrucción* (1900). *Cuento de amor* (1899), an adaptation of *Twelfth Night,* and translations of Molière's *Don Juan* (1897), Shakespeare's *King Lear* (1911), and Hazelton's *Yellow Jacket* (1916) show the author's great interest in French and English drama.

From realism Benavente's dramas turn to idealism in 1901, with a more softened satire and a less pessimistic humor. They contain a more tolerant note, with marked sympathy for the weak and less fortunate. Cosmopolitan society and provincial middle class take the place of the aristocracy of the city, with character study of a more philosophic nature. The author widens his range to include comedies of court life, the children's theater, pageant plays, and rural dramas.

In the tragedies *Sacrificios* (1901), *Alma triunfante* (1902), and *Por qué se ama* (1903) are presented the themes of human goodness, sacrifice for the sake of others, love as the only basis for happy marriage, and renunciation and self-abnegation as necessary virtues. The strength and virtues of the female characters stand out in vivid contrast to the weakness and the overbearing egoism of the men.

La noche del sábado (1903) is a tragic, symbolic pageant play with a note of irony and satire. The setting is a fashionable resort where decadent princes, poets, and adventurers seek escape from reality, but find, mixed with the world of fantasy, the same superficiality which is found in their life of reality. We see the struggle between the dream, or that which is desired, and that which life gives. *El dragón de fuego* (1903) contrasts primitive virtues with the degradations of civilized society. Cynicism and pessimism characterize *La princesa Bebé* (1904), in which the princely lovers, made powerless by the duties of their rank, try to find happiness, but, controlled by destiny, find only disillusionment.

Benavente's increased interest in moral questions of human relationships, especially in the problems of conjugal relations, is seen in thesis plays of this period. Love and faithfulness in the virtuous wife are idealized, and the theme of compassion and true love is developed most forcefully. A definite moralizing is seen on the subject of renunciation, sacrifice, and devotion to duty. Problems of married life are presented in *Rosas de otoño* (1905), which is a study of a loving and resigned woman who forgives all her husband's infidelities, cares only to be a sort of mother to him, and is happy to be the first in his heart, no matter how many others there may be. Again, in *Más fuerte que el amor* (1906), renunciation is the theme, with maternal love presented as woman's greatest virtue. The wife gives up her passion for a former lover to find happiness in sacrifice and in devotion to her husband, whom she does not love. An ardent feminist, Benavente becomes in these plays, as in *La noche del sábado* (1903) and later in *Señora ama* (1908), the champion of women, preaching woman's equality with man, and man's moral obligations in married life.

Los malhechores del bien (1905), a comedy of manners, is a satirical picture of society ladies of a small community in their efforts to bestow charity and do good to those less fortunate. Ruled by personal vanities, they try to reform and direct the lives of the people they are ostensibly helping. Contempt for the reformer, with sympathy for human weaknesses, is the theme.

Los intereses creados (1907), more profound and philosophical in character, is an adaptation of the old *commedia dell' arte*. It is a picture of modern society in which human beings are represented on the stage as puppets moved by the cords of passion, selfishness, and ambition. The central theme is the duality of man's nature, a mixture of baseness and idealism, with love represented as the redeeming virtue. The sequel to this play, *La ciudad alegre y confiada* (1916), lacks the poetic lightness, the simplicity, and the idealism of *Los intereses creados*.

A great lover of children, Benavente was interested in the

development of the Teatro de los Niños, which he helped to found in 1909. For the inauguration of this theater he wrote *El príncipe que todo lo aprendió en los libros*. Other fairy-tale plays, with flights of poetic fancy and moral lessons, written especially for children, are *La copa encantada, El último minué, La princesa sin corazón* (1907), *Ganarse la vida* (1909), and *El nietecito* (1910).

During this period appear many plays which show the dramatist to be intensely interested in the simple problems of everyday life of the poor and middle classes, and to be moved by a desire to moralize or preach. This is conspicuously absent in his earliest dramas, but it becomes more and more a decided purpose of his plays. Benavente defends himself in *De sobremesa* by saying that there is much need of preaching in Spain, and that the stage is a good pulpit. The development of plot or character becomes secondary to the presenting of a philosophy of life. Moral lessons are presented in *Los buhos* (1907), in which the pure affection of a father and son for a woman and her daughter is idealized. *Hacia la verdad* (1908) shows the happiness to be found in the simple life. Sacrifice again is the theme of *La fuerza bruta* (1908). *De cerca* (1909) is a plea for better understanding between the lower and the upper classes. *Por las nubes* (1909) presents the problems of the middle class, made difficult by old traditions and senseless conventions, and suggests escape to broader outlook and greater opportunities in emigration to America. The cause of the unemployed is defended in *A ver qué hace un hombre* (1909).

In the rural dramas, *Señora ama* (1908) and *La Malquerida* (1913), Benavente leaves the fashionable city salons for the small town and country life of Castile. The language loses its refined tone and becomes the picturesque dialect of the peasant. Simple customs and ideas of rustic folk take the place of the shallow and pretentious cynicism and snobbishness of aristocratic and "cultured" personages. These two dramas stand out as the best of Benavente's works in dramatic structure, in plot, and in emotional interest. In *Señora ama* we meet, as in *Rosas de otoño,* the patient wife of a fickle husband. She countenances all his infidelities because she believes that she alone is to suffer because of them; but, when she finds that she is to have a child which may be deprived of its rightful inheritance by the father's immorality, she asserts herself and with the power of her will brings about a complete change in her husband's behavior. The development of the character of Dominica and her influence on all those around her is an interesting study of feminine peasant psychology.

La Malquerida is a tragic drama, classic in form, presenting the well-known theme of Euripides and Racine, with the roles of Hippolytus and Phaedra reversed in those of Esteban the husband and Acacia the stepdaughter. It is a tragedy of

"improper love," jealousy, and revenge, of the struggle against that love, and of suppressed emotions developing into an uncontrollable passion which drives rapidly toward an inevitable catastrophe. The scene is laid in the barren plains of Castile, in an atmosphere of rural ignorance, family loyalties, village gossip, and mass hatreds. The characters are country folk in comfortable circumstances who speak the soft and smoothly flowing popular speech of Castile of today, which is characterized by a chanting and monotonous rhythm and the usual linguistic carelessness of the peasant. With few stage directions and no descriptions of persons or of scenes, the atmosphere and the characters are developed through dialogues. There is not one protagonist, but rather three characters whose moral complexities form the subject matter of the tragedy.

The retribution for guilt in Raimunda's death, separating forever the guilty lovers, contains both the elements of the Greek tragedy and the romanticism that is characteristic of all Spanish drama. There is a touch of melodrama and sentimentality, which does not, however, detract from the classic lines of the play.

The plot of *La Malquerida* centers in Raimunda, wife of Esteban, a landowner and farmer. Acacia, her daughter by a former marriage, has always resented Esteban's presence in the home, and despite his kindness and attentions to her she has shown a great antipathy toward him. She had been engaged to her cousin Norberto, but had broken off suddenly and become engaged to Faustino, son of Eusebio, a prosperous neighboring farmer. Eusebio's family and friends have come to Raimunda's house to congratulate Acacia on her betrothal. Milagros, a friend, remains behind after the others have left, and Acacia shows her the many presents her stepfather has given her. Her remarks reveal a strange aversion, which she has always held, and a resentment against his presence in the home, though he has always been kind to her. As Esteban is accompanying the visitors part of the way home, a shot is heard, and soon it is learned that Faustino has been killed. Great consternation results, and the question who the murderer is results in a general accusation against Norberto, whose motive could have been jealousy. Eusebio's family swear vengeance. Gossip increases as the courts declare Norberto innocent. Raimunda has gone with her household to their home in the grove to escape from the gossip, and she begins to question everybody in a desire to find out the truth. Norberto is waylaid and wounded by Faustino's brothers. When he is brought to the house in the grove, Norberto tells Raimunda of the rumors, and repeats a song which is being sung through the town about her husband and her daughter. He reveals to Raimunda the fact that Esteban has long been in love with his stepdaughter and that he, Norberto, had broken off with her because of his being threatened by Esteban. Esteban had paid his servant Rubio to murder Faustino, and now, while half drunk, Rubio is talking too much, and giving himself and Esteban away. Raimunda is brought suddenly to a clear comprehension of the reality of her husband's infatuation with her daughter, and in a violent scene she wrings from Acacia a declaration of her violent hatred for her stepfather and of his constantly forcing his attentions on her. Raimunda clashes with her husband and in anger turns against him.

In the third act, Esteban has fled with Rubio to the mountains, but returns. When Raimunda accuses her husband, he admits his crime and tells her of his life of struggle against his passion for Acacia ever since his marriage. Her constant presence and her antipathy toward him had increased his passion, whereas all would have been pleasant and natural if she had loved him and called him father. From a feeling of horror against her husband Raimunda now turns to pity for him, and, though she wants him in justice to atone for his terrible sin, she seeks a way of escape for all of them by suggesting that she send Acacia away so that life can go on as it should. But Acacia sees in this her mother's attempt to get rid of her so that she can live alone with Esteban; and from hatred and scorn toward him, when Raimunda demands that she call him father, Acacia suddenly throws herself into his arms and reveals the love she has kept hidden so long. As the neighbors rush in, Raimunda tries to prevent Esteban's escape, and he kills her. By the mother's sacrifice Acacia is saved.

The development of the character of Acacia is most ably handled by the author. She is a mysterious person all through the play, and until the very climax there is a question whether she is merely jealous of her father-in-law, which may be a natural thing, or whether she is neurotic and peculiar. The subject of the play, "The Hated," or "The Wrongly Loved," reveals from the outset the unnatural love of Esteban and the Freudian implications, but the nature of her violent passion toward him is not understood until the very end of the last act.

Esteban is the same type of immoral and egotistical husband that is found in *Señora ama* and *Rosas de otoño,* dominating his wife completely through her love for him. When he is discovered and denounced by her as vile, he returns cringing, seeking forgiveness, only to turn against her to seek the object of his passion when Acacia reveals to him in her kiss that she loves him passionately. His cowardice is revealed in many ways, in direct contrast to the courage and strength of Raimunda. However, there is evidence of his serious attempt to overcome the passion which has been developing; but he has become the victim of his passion, despite his affection for his wife, because of his desire to be a real father to his stepdaughter. Raimunda is true to the type of strong women which Benavente has created in his dramas.

It is in the conversation that motives are revealed and the characters convict themselves. No character is completely bad. Human frailties and weaknesses are balanced with virtues, and each character becomes an individual demanding the sympathy and pity of the audience. Scenes and incidents are those of everyday life, and the action of the play moves without the artificial or accidental mechanics of drama, giving the whole a breath of life which is convincing and most effective.

The subject is not the conflict between sin and natural goodness, but rather a psychoanalytical study of inhibitions, suppressed desires, and instinctive hatred, developing by conscious resistance, through a biological process, into a love which by all standards of society must brand Acacia as *malquerida*.

The careless speech of the peasant is reproduced with a naturalness that reflects the author's intimate association with rural peoples and a careful study of their peculiarities of diction. As in actual everyday language, there is no conscious, consistent use of colloquial or shortened forms of words. A character may be careful to enunciate clearly every consonant and combination of sounds in one sentence, and in the next make omissions and liaisons characteristic of slovenly or uncouth speech. Intricate and impossible grammatical constructions appear under the stress of excitement or fear. As the play progresses, the language becomes more careless and involved. No character uses consistently throughout the play the same correct or incorrect speech. Rubio's talk is more colorful and sloppy than that of the others. His, perhaps, is the more free and the characteristically peasant idiom because he is of a lower type than the other persons of the play and at times is under the influence of liquor. However, Esteban and Raimunda under excitement and in rapid speech revert to the same dialect which Rubio speaks. Greatest laxity appears in the scenes of greatest emotion.

La Malquerida was played in 1920 in New York in English with the title *The Passion Flower.* It was received with great applause, and was presented 750 times throughout the United States and Canada. Later, adapted to motion pictures, it had a long and successful run.

The plays written since 1913 have not measured up to the excellence of *La Malquerida.* They have served as a vehicle for the expression of Benavente's moral and social ideas. The dialogues become heavy, and the characters are colorless in comparison with his former creations. *Para el cielo y los altares* (1928) was widely acclaimed because its performance was prohibited by the dictator Primo de Rivera, who said that it raised religious and national issues. There is no doubt that Benavente had great influence in the growing disfavor of the government which finally resulted in the establishment of the republic in 1931. The plays of this period became very popular, and many were performed in theaters throughout Spain. The theme of sacrifice and compassion, with the usual display of deep understanding of feminine psychology, is seen in *Los andrajos de la púrpura* (1930), *La melodía del jazz band* (1931), and *Cuando los hijos de Eva no son los de Adán* (1931). The last-mentioned play and *De muy buena familia* (1931) deal with the duties of parents and the problem of modern children.

Benavente was elected to the Spanish Royal Academy in 1913. He has led a life of great independence, and during the First World War his sympathies were, as usual, with the minority. This brought him criticism and attacks from the intellectuals and the literary circles, who accused him of being a Germanophile. However, Benavente has always been a great admirer of the French, and especially of French literature and art. In recent years his popularity in Spain and Latin America has increased. On a lecture tour with a company of actors which he directed in the presentation of plays in the larger cities of both Americas, he was given universal acclaim, and, upon his return to Spain after receiving the Nobel Prize in 1922, greatest honors were heaped upon him. The past eight years have been very trying for him, and no new dramas have appeared since 1935.

Bibliography

DRAMATIC PIECES

El nido ajeno, three acts, 1894
Gente conocida, four acts, 1896
El marido de la Téllez, one act, 1897
De alivio, monologue, 1897
Don Juan (translated from Molière), five acts, 1897
La farándula, two acts, 1897
La comida de las fieras, three acts, 1898
Teatro feminista, one act, 1898
Cuento de amor (adapted from Shakespeare's *Twelfth Night*), three acts, 1899
Operación quirúrgica, one act, 1899
Despedida cruel, one act, 1899
La gata de Angora, four acts, 1900
Viaje de instrucción, one act, 1900
Por la herida, one act, 1900
Modas, one act, 1901
Lo cursi, three acts, 1901
Sin querer, one act, 1901
Sacrificios, three acts, 1901
La gobernadora, three acts, 1901
El primo Román, three acts, 1901
Amor de amar, two acts, 1902
¡Libertad! (translated from Rusiñol), three acts, 1902
El tren de los maridos, two acts, 1902
Alma triunfante, three acts, 1902
El automóvil, two acts, 1902

La noche del sábado, five acts, 1903
Los favoritos (adapted from Shakespeare's *Much Ado about Nothing*), one act, 1903
El hombrecito, three acts, 1903
Mademoiselle de Belle-Isle (translated from Dumas), five acts, 1903
Por qué se ama, one act, 1903
Al natural, two acts, 1903
La casa de la dicha, one act, 1903
El dragón de fuego, three acts, 1904
Richelieu (translated from Bulwer-Lytton), five acts, 1904
La princesa Bebé, four acts, 1904
No fumadores, one act, 1904
Rosas de otoño, three acts, 1905
Buena boda (adapted from Augier's *Un Beau Mariage*), three acts, 1905
El susto de la condesa, one act, 1905
Cuento inmoral, monologue, 1905
La sobresalienta, one act, 1905
Los malhechores del bien, two acts, 1905
Las cigarras hormigas, three acts, 1905
Más fuerte que el amor, four acts, 1906
Manon Lescaut (adapted from the novel by Prévost), three acts, 1906
Los buhos, three acts, 1907
Abuela y nieta, one act, 1907
La princesa sin corazón, one act, 1907
El amor asusta, one act, 1907
La copa encantada (translated from Ariosto), one act, 1907
Los ojos de los muertos, three acts, 1907
La historia de Otelo, one act, 1907
La sonrisa de Gioconda, one act, 1907
El último minué, one act, 1907
Todos somos unos, one act, 1907

Los intereses creados, two acts, 1907
Señora ama, three acts, 1908
El marido de su viuda, one act, 1908
La fuerza bruta, one act, 1908
De pequeñas causas, one act, 1908
Hacia la verdad, three acts, 1908
Por las nubes, two acts, 1909
De cerca, one act, 1909
¡A ver qué hace un hombre!, one act, 1909
La escuela de las princesas, three acts, 1909
La señorita se aburre, one act, 1909
El príncipe que todo lo aprendió en los libros, two acts, 1909
Ganarse la vida, one act, 1909
El nietecito, one act, 1910
El rey Lear (translated from Shakespeare), five acts, 1911
La losa de los sueños, two acts, 1911
La Malquerida, three acts, 1913
El destino manda (translated from Hervieu), two acts, 1914
El collar de estrellas, four acts, 1915
La verdad, one act, 1915
La propia estimación, three acts, 1915
Campo de armiño, three acts, 1916
La túnica amarilla (translated from Hazelton), 1916
La ciudad alegre y confiada, three acts, 1916
El mal que nos hacen, three acts, 1917
Los cachorros, three acts, 1918
Caridad, monologue, 1918
Mefistófela, three acts, 1918
La Inmaculada de los Dolores, three acts, 1918
La ley de los hijos, three acts, 1918
Por ser con todos leal, ser para todos traidor, three acts, 1919
Y va de cuento, three acts, 1919
La vestal de occidente, four acts, 1919
La cenicienta, three acts, 1919

La honra de los hombres, two acts, 1919
El audaz (adapted from the novel of Galdós), five acts, 1919
Una señora, three acts, 1920
Una pobre mujer, three acts, 1920
La fuerza bruta (music by Chaves), two acts, 1919
Más allá de la muerte, three acts, 1922
Por qué se quitó Juan de la bebida, monologue, 1922
Lecciones de buen amor, three acts, 1924
Un par de botas, one act, 1924
La otra honra, three acts, 1924
La virtud sospechosa, three acts, 1924
Nadie sabe lo que quiere o El bailarín y el trabajador, three acts, 1925
Alfilerazos, three acts, 1925
Los nuevos yernos, three acts, 1925
La mariposa que voló sobre el mar, three acts, 1926
El hijo de Polichinela, three acts, 1927
La noche iluminada, three acts, 1927
El demonio fué antes ángel, three acts, 1928
No quiero, no quiero, three acts, 1928
Pepa Doncel, three acts, 1928
Si creerás tú que es por mi gusto, one act, 1929
Vidas cruzadas, three acts, 1929
Para el cielo y los altares, three acts, 1929
Los amigos del hombre, three acts, 1930
Los andrajos de la púrpura, five acts, 1930
De muy buena familia, three acts, 1931
Literatura, three acts, 1931
La melodía del jazz band, three acts, 1931
Cuando los hijos de Eva no son los de Adán, three acts, 1931
La duquesa gitana, five acts, 1932
La verdad inventada, three acts, 1933
El rival de su mujer, three acts, 1934
Memorias de un madrileño, puestas en acción, five acts, 1934

Ni al amor ni al mar, four acts, 1934
El pan comido en la mano, three acts, 1934
La novia de nieve, three acts, 1934
No juguéis con esas cosas, three acts, 1935
Cualquiera lo sabe, three acts, 1935

OTHER WRITINGS

Teatro fantástico (dramatic sketches, including *El encanto de una hora, Comedia italiana, El criado de Don Juan, La senda del amor, La blancura de Pierrot, Cuento de primavera, Amor de artista, Modernismo*), 1892
Cartas de mujeres, 1893
Figulinas (tales and dramatic sketches), 1898
Noches de verano (dramatic sketch), 1900
Vilanos (tales and dramatic sketches), 1905
Teatro rápido (dramatic sketches), 1905
El teatro del pueblo (criticism), 1909
De sobremesa (six volumes of criticism), 1910–1916
Palabras, palabras (criticism), 1911
Versos (poems), 1913
Acotaciones (criticism), 1914
El año germanófilo (prologue), 1916
Crónicas y diálogos, 1916
Los niños (including *Todos hermanos, Por los pequeños, Amor a la patria,* and other plays for the Children's Theater), 1917
Conferencias (addresses, essays, lectures), 1929
Vidas cruzadas (cinedrama in two acts), 1929
Pensamientos (essays), 1931
La moral del divorcio (dialogue), 1932
Oración a Rusia, 1932
Santa Rusia (first part of a trilogy), 1932

TRANSLATIONS INTO ENGLISH

Underhill, John Garrett, *Plays, First Series* (*His Widow's Husband, The Bonds of Interest, The Evil-Doers of Good, La Malquerida*), 1917; *Plays, Second Series* (*No Smoking, Princess Bebé, The Governor's Wife, Autumnal Roses*), 1919; *Plays, Third Series* (*The Prince Who Learned Everything out of Books, Saturday Night, In the Clouds, The Truth*), 1923; *Plays, Fourth Series* (*The School of Princesses, A Lady, The Magic of an Hour, Field of Ermine*), 1924; *Brute Force,* 1924; *At Close Range,* 1936

Herman, J. A., *The Smile of Mona Lisa,* 1915

TEXTS EDITED FOR SCHOOL USE

Espinosa, A. M., *El príncipe que todo lo aprendió en los libros* (edited with introduction, notes, exercises, and vocabulary), 1918

Graham, C. W., *Las cigarras hormigas* (edited with notes and vocabulary), 1923

Leonard, I. A., and R. K. Spaulding, *Los malhechores del bien* (edited with introduction, notes, and vocabulary), 1923

Martin, Henry M., *A ver qué hace un hombre* and *Por las nubes* (edited with introduction, notes, and vocabulary), 1931

Ray, Medora L., *Ganarse la vida* (edited with introduction, exercises, and vocabulary), 1921

Van Horne, John, *Tres comedias: Sin querer, De pequeñas causas,* and *Los intereses creados* (edited with introduction, notes, and vocabulary), 1918

Van Horne, John, *Teatro de Jacinto Benavente: Los intereses creados, Al natural,* and *Rosas de otoño* (with introduction by Gregorio Martínez Sierra), 1919

BOOKS AND ARTICLES ON BENAVENTE

Alarcón, M., "Benavente as an Interpreter of Woman," *Poet Lore,* XXIX (1918), 201–205

Bell, A. F. G., *Contemporary Spanish Literature* (New York, 1925), 160–171

Benavente, Jacinto, "The Playwright's Mind," *Yale Review,* XIII (1923), 43–62

Brouta, J., "Spain's Greatest Dramatist," *Drama,* V (1915), 555–566

Bueno, Manuel, *Teatro español contemporáneo* (Madrid, 1909), 129–177

Calverton, V. F., "Benavente and the Spanish Revolution," *Current History,* XLIX (1938), 49

Cejador, Julio, *Historia de la lengua y literatura castellana* (Madrid, 1919), Vol. X, 226–261

Colum, Padraic, "Review of Plays," *Dial,* LXIII (1917), 393–394

Dos Passos, John, "Benavente's Madrid," *Bookman,* LIII (1921), 226–230

Field, H. E., "Passion Flower," *Arts and Decoration,* XII (March, 1920), 344

Glass, E., "The Bonds of Interest," *Poet Lore,* XXXII (1921), 244–250

Green, A., "Spanish Dramatists of Today," *Outlook,* CXXIII (1919), 594–595

González-Blanco, Andrés, *Los dramaturgos españoles contemporáneos* (Valencia, 1917), 27–168

Haynes, W., "Plays of Jacinto Benavente," *Dial,* LXVIII (1920), 113–118

Lázaro, Angel, *Jacinto Benavente, de su vida y su obra* (Paris, 1925)

Lázaro, Angel, *Biografía de Jacinto Benavente* (Madrid, 1930)

Lewisohn, L., "The Passion Flower, Criticism," *Nation,* CX (1920), 152–153

Lucientes, F., "Persons and Personages," *Living Age,* CCCXLI (1932), 517–519

Northup, G. T., *Introduction to Spanish Literature* (Chicago, 1925), 423–427

Onís, Federico de, "Jacinto Benavente," *North American Review,* CCXVII (1923), 357–364

Onís, Federico de, "Benavente and the Theatre," New York *Evening Post,* May 17, 1919

Onís, Federico de, *Jacinto Benavente, estudio literario* (Instituto de las Españas, New York, 1923)

Pitollet, C., "D. Jacinto Benavente et le Prix Nobel de Littérature," *Mercure de France,* CLX (1922), 358–383

Porterfield, A. W., "Three Spaniards," *Bookman,* LVII (1923), 576–579

Romero-Navarro, Miguel, *Historia de la literatura española* (New York, 1928), 634–638

Sánchez, José Rogerio, *Estudio crítico acerca de La Malquerida* (Madrid, 1914)

Starkie, W., "Jacinto Benavente, Winner of the Nobel Prize," *Contemporary Review,* CXXIII (1923), 93–100

Starkie, W., "Jacinto Benavente," *The Spectator,* CXXXI (1923), 503–504

Starkie, W., *Jacinto Benavente* (New York, 1924)

Underhill, J. G., "Benavente as a Modern," *Poet Lore,* XXIX (1918), 194–200

Underhill, J. G., *Plays by Jacinto Benavente:* introductions to the four volumes (New York, 1917, 1919, 1923, 1924)

Underhill, J. G., "The Modern Spanish Drama," *Drama League Monthly,* II (1917), No. 6

Valbuena Prat, Angel, *Literatura dramática española* (Barcelona and Buenos Aires, 1930)

Van Horne, J., "Benavente, the Ninth Dramatist to Receive the Nobel Prize," *Current Opinion,* LXIX (1920), 825

La Malquerida

DRAMA EN TRES ACTOS Y EN PROSA

REPARTO

Esteban, labrador rico
La Raimunda, su esposa
La Acacia, hija de Raimunda, hijastra de Esteban
La Juliana, antigua criada de Raimunda
Doña Isabel, vecina
Milagros, hija de doña Isabel
La Fidela, vecina
La Engracia, vecina
La Bernabea, vecina
La Gaspara, vecina
Norberto, primo de Acacia
Faustino, novio de Acacia
El tío Eusebio, padre de Faustino
Bernabé, criado de Raimunda
El Rubio, criado y confidente de Esteban
Mujeres
Mozas
Mozos

En un pueblo de Castilla

Acto primero

SALA EN CASA DE UNOS LABRADORES RICOS

ESCENA PRIMERA

LA[1] RAIMUNDA, LA ACACIA, DOÑA ISABEL, MILAGROS, LA FIDELA, LA ENGRACIA, LA GASPARA Y LA BERNABEA

Al levantarse el telón todas en pie, menos doña Isabel, se despiden de otras cuatro o cinco, entre mujeres y mozas.

GASPARA

Vaya, queden ustedes con Dios; con Dios, Raimunda.

BERNABEA

Con Dios, doña Isabel... Y tú, Acacia, y tu madre que sea para bien.

RAIMUNDA

Muchas gracias. Y que todos lo veamos. Anda, Acacia, sal tú con ellas.

TODAS

Con Dios, abur.

(*Gran algazara. Salen las mujeres y las mozas y Acacia con ellas.*)

DOÑA ISABEL

Qué buena moza está la Bernabea.

ENGRACIA

Pues va para el año bien mala que estuvo. Nadie creíamos que lo contaba.[2]

DOÑA ISABEL

Dicen que se casa también muy pronto.

FIDELA

Para San Roque, si Dios quiere.

DOÑA ISABEL

Yo soy la última que se entera de lo que pasa en el pueblo. Como en mi casa todo son calamidades... está una tan metida en sí.[3]

ENGRACIA

¡Qué! ¿No va mejor su esposo?

DOÑA ISABEL

Cayendo y levantando; aburridas nos tiene. Ya ven todos lo que salimos de casa; ni para ir a misa los más de los domingos. Yo por mí ya estoy hecha, pero esta hija se me[4] está consumiendo.

ENGRACIA

Ya, ya. ¿En qué piensan ustedes? Y tú, mujer, mira que está el año de bodas.

DOÑA ISABEL

Sí, sí, buena es ella.[5] No sé yo de dónde haya de venir el que le caiga en gracia.

FIDELA

Pues para monja no irá, digo yo; así, ella verá.

DOÑA ISABEL

Y tú, Raimunda. ¿Es a gusto tuyo esta boda? Parece que no te veo muy cumplida.

RAIMUNDA

Las bodas siempre son para tenerles miedo.

ENGRACIA

Pues hija, si tú no casas la chica a gusto no sé yo quién podamos decir otro tanto; que denguna como ella ha podido escoger entre lo mejorcito.

FIDELA

De comer no ha de faltarles, dar[6] gracias a Dios, y como están las cosas no es lo que menos hay que mirar.

RAIMUNDA

Anda, Milagros, anda abajo con Acacia y los mozos; que me da no sé qué de verte tan parada.

DOÑA ISABEL

Ve, mujer. Es que esta hija es como Dios la ha hecho.[7]

MILAGROS

Con el permiso de ustedes. (*Sale.*)

RAIMUNDA

Y anden ustedes con otro bizcochito y con otra copita.

DOÑA ISABEL

Se agradece, pero yo no puedo con más.

RAIMUNDA

Pues andar[6] vosotras, que esto no es nada.

DOÑA ISABEL

Pues a la Acacia tampoco la veo como debía de estar un día como el de hoy que vienen a pedirla.

RAIMUNDA

Es que también esta hija mía es como es.[8] ¡Más veces me tiene desesperada! Callar[9] a todo, eso sí, hasta que se descose, y entonces no quiera usted oírla, que la dejará a usted bien parada.

ENGRACIA

Es que se ha criao siempre tan consentida... como tuvisteis la desgracia de perder a los tres chicos y quedó ella sola, hágase usted cargo... Su padre, pajaritas del aire que le pidiera la muchacha,[10] y tú dos cuartos de lo mismo... Luego, cuando murió su padre, esté en gloria, la chica estaba tan encelada contigo; así es que cuando te volviste a casar le sentó muy malamente. Y eso es lo que ha tenido siempre esa chica, pelusa.

RAIMUNDA

¿Y qué iba yo a hacerle? Yo bien hubiera querido no volverme a casar... Y si mis hermanos hubieran sido otros... Pero digo, si no entran aquí unos pantalones[11] a poner orden, a pedir limosna andaríamos mi hija y yo a estas horas; bien lo saben todos.

DOÑA ISABEL

Eso es verdad. Una mujer sola no es nada en el mundo. Y que[12] te quedaste viuda muy joven.

RAIMUNDA

Pero yo no sé que esta hija mía y[13] haya podido tener pelusa de nadie; que su madre soy y no sé yo quién la quiera y la consienta más de los dos; que Esteban no ha sido nunca un padrastro pa ella.

DOÑA ISABEL

Y es razón que así sea. No habéis tenido otros hijos.

RAIMUNDA

Nunca va y viene, de ande quiera que sea, que no se acuerde de traerle algo... No se acuerda tanto de mí, y nunca me he sentido por eso; que al fin es mi hija, y el que la quiera de ese modo me ha hecho quererle más. Pero ella... ¿Querrán ustedes creer que ni cuando era chica, ni ahora, no se diga, y ha permitido nunca de darle un beso? Las pocas veces que le he puesto la mano encima no ha sido por otra cosa.

FIDELA

Y a mí que no hay quien me quite de la cabeza que tu hija y[13] a quien quiere y[13] es a su primo.

RAIMUNDA

¿A Norberto? Pues bien plantao le dejó de la noche a la mañana. Esa es otra; lo que pasó entre ellos no hemos podido averiguarlo nadie.

FIDELA

Pues ésa es la mía, que nadie hemos podido explicárnoslo y tiene que haber su misterio.

ENGRACIA

Y ella puede, y[13] que no se acuerde de su primo; pero él aún le tiene su idea.[14] Si no, mira y como hoy en cuanto se dijo que venía el novio con su padre a pedir a tu hija, cogió y bien temprano se fué pa los Berrocales, y los que le han visto dicen y[13] que iba como entristecío.

RAIMUNDA

Pues nadie podrá decir que ni Esteban ni yo la hemos aconsejao en ningún sentío. Ella de por sí dejó plantao a Norberto, todos lo saben, que ya iban a correrse las proclamas, y ella consintió de hablar con Faustino. A él siempre le pareció ella bien, ésa es la verdad ... Como su padre ha sido siempre muy amigo de Esteban, que siempre han andao muy unidos en sus cosas de la política y de las elecciones, cuantas veces hemos ido al Encinar por la Virgen o por cualquier otra fiesta o han venido aquí ellos, el muchacho pues no sabía qué hacerse con mi hija; pero como sabía que ella y[13] hablaba aquí con su primo, puede decirse que nunca le dijo nada ... Y hasta que ella por lo que fuera, que nadie lo sabemos, plantó al otro, éste no dijo nada. Entonces, sí, cuando supieron y[13] que ella había acabao con su primo, su padre de Faustino habló con Esteban y Esteban habló conmigo y yo hablé con mi hija y a ella no le pareció mal; tanto es así que ya lo ven todos, a casarse va, y si a gusto suyo no fuera, pues no tendría perdón de Dios, que lo que hace, nosotros, a gusto suyo, y bien que a su gusto la hemos dejao.[15]

DOÑA ISABEL

Y a su gusto será. ¿Por qué no? El novio es buen mozo y bueno parece.

ENGRACIA

Eso sí. Aquí todos le miran como si fuera del pueblo mismamente; que aunque no sea de aquí es de tan cerca y la familia es tan conocida que no están miraos como forasteros.

FIDELA

El tío Eusebio puede y que tenga más tierras en la jurisdicción que en el Encinar.

ENGRACIA

Y que así es. Hazte cuenta; se quedó con todo lo del tío Manolito y a más con las tierras de propios que se subastaron va pa dos años.

DOÑA ISABEL

No, la casa es la más fuerte de por aquí.

FIDELA

Que lo diga usted, y que aunque sean cuatro hermanos todos cogerán buen pellizco.

ENGRACIA

Y la de aquí[16] que tampoco va descalza.

RAIMUNDA

Que es ella sola y no tiene que partir con nadie y que Esteban ha mirado por la hacienda que nos quedó de su padre; que no hubiera mirado más por una hija suya.
(*Se oye el toque de Oraciones.*)

DOÑA ISABEL

Las Oraciones. (*Rezan todas entre dientes.*) Vaya, Raimunda, nos vamos para casa; que a Telesforo hay que darle de cenar temprano; digo cenar, la pizca de nada que toma.

ENGRACIA

Pues quiere decirse que nosotras también nos iremos si te parece.

FIDELA

Me parece.

RAIMUNDA

Si queréis acompañarnos a cenar... A doña Isabel no le digo nada, porque estando su esposo tan delicado no ha de dejarle solo.

ENGRACIA

Se agradece; pero cualquiera gobierna aquella familia si una falta.[17]

DOÑA ISABEL

¿Cena esta noche el novio con vosotras?

RAIMUNDA

No señora, se vuelven él y su padre pa el Encinar; aquí no habían de hacer noche y no es cosa de andar el camino a deshora, y estas noches sin luna... Como que ya me parece que se tardan, que ya van acortando mucho los días y luego, luego es noche cerrada.

ENGRACIA

Acá suben todos. A la cuenta es la despedida.

RAIMUNDA

¿No lo dije?

ESCENA II

DICHAS, LA ACACIA, MILAGROS, ESTEBAN, EL TÍO EUSEBIO Y FAUSTINO

ESTEBAN

Raimunda; aquí, el tío Eusebio y Faustino que se despiden.

EUSEBIO

Ya es hora de volvernos pa casa; antes que se haga noche, que con las aguas de estos días pasados están esos caminos que es una perdición.[18]

ESTEBAN

Sí que hay ranchos muy malos.

DOÑA ISABEL

¿Qué dice el novio? Ya no se acuerda de mí. Verdad que bien irá para cinco años que no le había visto.

EUSEBIO

¿No conoces a doña Isabel?

FAUSTINO

Sí, señor; pa servirla. Creí que no se recordaba de mí.

DOÑA ISABEL

Sí, hombre; cuando mi marido era alcalde; va para cinco años. ¡Buen susto nos diste por San Roque, cuando saliste al toro y creímos todos que te había matado!

ENGRACIA

El mismo año que dejó tan mal herido a Julián, el de la Eudosia.

FAUSTINO

Bien me recuerdo, sí, señora.

EUSEBIO

Aunque no fuera más que por los lapos que llevó luego en casa ... muy merecidos ...

FAUSTINO

¡La mocedad!

DOÑA ISABEL

Pues no te digo nada, que te llevas la mejor moza del pueblo; y que ella no se lleva mal mozo tampoco. Y nos vamos, que ustedes aún tendrán que tratar de sus cosas.

ESTEBAN

Todo está tratao.

DOÑA ISABEL

Anda, Milagros ... ¿Qué te pasa?

ACACIA

Que la digo que se quede a cenar con nosotros y no se atreve a pedirle a usted permiso. Déjela usted, doña Isabel.

RAIMUNDA

Sí que la dejará. Luego la acompañan de aquí Bernabé y la Juliana y si es caso también irá Esteban.

DOÑA ISABEL

No, ya mandaremos de casa a buscarla. Quédate, si es gusto de la Acacia.

RAIMUNDA

Claro está, que tendrán ellas que hablar de mil cosas.

DOÑA ISABEL

Pues con Dios todos, tío Eusebio, Esteban.

EUSEBIO

Vaya usted con Dios, doña Isabel ... Muchas expresiones a su esposo.

DOÑA ISABEL

De su parte.

ENGRACIA

Con Dios; que lleven buen viaje.

FIDELA

Queden con Dios...

(*Salen todas las mujeres.*)

EUSEBIO

¡Qué nueva está doña Isabel! Y a la cuenta debe de andarse por mis años. Pero bien dicen: quien tuvo, retuvo y guardó para la vejez[19]... porque doña Isabel ha estao una buena moza ande las haya habío.[20]

ESTEBAN

Pero siéntese usted un poco, tío Eusebio. ¿Qué prisa le ha entrao?

EUSEBIO

Déjate estar, que es buena hora de volvernos, que viene muy oscuro. Pero tú no nos acompañes; ya vienen los criados con nosotros.

ESTEBAN

Hasta el arroyo siquiera; es un paseo.

(*Entran la Raimunda, la Acacia y la Milagros.*)

EUSEBIO

Y vosotros deciros[6] too lo que tengáis que deciros.

ACACIA

Ya lo tenemos todo hablao.[21]

EUSEBIO

¡Eso te creerás tú![22]

RAIMUNDA

Vamos, tío Eusebio; no sofoque usted a la muchacha.

ACACIA

Muchas gracias de todo.

EUSEBIO

¡Anda ésta! ¡Qué gracias![23]

ACACIA

Es muy precioso el aderezo.

EUSEBIO

Es lo más aparente que se ha encontrao.

RAIMUNDA

Demasiado para una labradora.

EUSEBIO

¡Qué demasiado! Dejarse estar. Con más piedras que la Custodia de Toledo lo hubiera yo querido. Abraza a tu suegra.

RAIMUNDA

Ven acá, hombre; que mucho tengo que quererte pa perdonarte lo que te me llevas. ¡La hija de mis entrañas!

ESTEBAN

¡Vaya! Vamos a jipar ahora... Mira la chica. Ya está hecha una Madalena.

MILAGROS

¡Mujer!... ¡Acacia! (*Rompe también a llorar.*)

ESTEBAN

¡Anda la otra! ¡Vaya, vaya!

EUSEBIO

No ser[6] así... Los llantos pa los difuntos. Pero una boda como ésta, tan a gusto de toos... Ea, alegrarse[6]... y hasta muy pronto.

RAIMUNDA

Con Dios, tío Eusebio. Y a la Julia[24] que no le perdono y que no haya venido un día como hoy.

EUSEBIO

Si ya sabes cómo anda de la vista. Había que haber puesto el carro y está esa subida de los Berrocales pa matarse el ganao.[25]

RAIMUNDA

Pues déle usted muchas expresiones y que se mejore.

EUSEBIO

De tu parte.

RAIMUNDA

Y andarse ya, andarse ya, que se hace noche. (*A Esteban.*) ¿Tardarás mucho?

EUSEBIO

Ya le he dicho que no venga...

ESTEBAN

¡No faltaba otra cosa! Iré hasta el arroyo. No esperarme a cenar.

RAIMUNDA

Sí que te esperamos. No es cosa de cenar solas un día como hoy. Y a la Milagros le da lo mismo cenar un poco más tarde.

MILAGROS

Sí, señora; lo mismo.

EUSEBIO

¡Con Dios!

RAIMUNDA

Bajamos a despedirles.

FAUSTINO

Yo tenía que decir una cosa a la Acacia...

EUSEBIO

Pues haberlo dejao pa mañana.[26] ¡Como no habéis platicao todo el día!

FAUSTINO

Si es que... unas veces que no me he acordao, y otras, con el bullicio de la gente...

EUSEBIO

A ver po ande sales...[27]

FAUSTINO

Si no es nada... Madre, que al venir, como cosa suya, me dió este escapulario pa la Acacia; de las monjas de allá.

ACACIA

¡Es muy precioso!

MILAGROS

¡Bordao de lentejuela! ¡Y de la Virgen Santísima del Carmen!

RAIMUNDA

¡Poca devoción que ella le tiene![28] Da las gracias a tu madre.

FAUSTINO

Está bendecío...

EUSEBIO

Bueno; ya hiciste el encargo. Capaz eras de haberte vuelto con él y ¡hubiera tenido que oír tu madre![29] ¡Pero qué corto eres, hijo! No sé yo a quién hayas salío...

(*Salen todos. La escena queda sola un instante. Ha ido obscureciendo. Vuelven la Raimunda, la Acacia y la Milagros.*)

RAIMUNDA

Mucho se han entretenido; salen de noche... ¿Qué dices, hija? ¿Estás contenta?

ACACIA

Ya lo ve usted.

RAIMUNDA

¡Ya lo ve usted! Pues eso quisiera yo; verlo... ¡Cualquiera sabe contigo![30]

ACACIA

Lo que estoy es cansada.

RAIMUNDA

¡Es que hemos llevao un día! Desde las cinco y[13] que estamos en pie en esta casa.

MILAGROS

Y que no habrá faltao nadie a darte el parabién.

RAIMUNDA

Pues todo el pueblo, puede decirse; principiando por el señor cura, que fué de los primeritos. Ya le he dao pa que diga una misa, y diez panes pa los más pobrecitos, que de todos hay que acordarse un día así. ¡Bendito sea Dios, que nada nos falta! ¿Están ahí las cerillas?

ACACIA

Aquí están, madre.

RAIMUNDA

Pues enciende esa luz, hija; que da tristeza esta oscuridad. (*Llamando.*) ¡Juliana! ¡Juliana! ¿Ande andará ésa?

JULIANA

(*Dentro y como desde abajo.*) ¿Qué?

RAIMUNDA

Súbete[31] pa cá una escoba y el cogedor.

JULIANA

(*Idem.*) De seguida subo.

RAIMUNDA

Voy a echarme otra falda; que ya no ha de venir nadie.

ACACIA

¿Quiere usted que yo también me desnude?

RAIMUNDA

Tú déjate estar, que no tienes que trajinar en nada y un día es un día ...

(*Entra la Juliana.*)

JULIANA

¿Barro aquí?

RAIMUNDA

No; deja ahí esa escoba. Recoge todo eso; lo friegas muy bien fregao, y lo pones[32] en el chinero; y cuidado con esas copas que es cristal fino.

JULIANA

¿Me[31] puedo comer un bizcocho?

RAIMUNDA

Sí, mujer, sí. ¡Que eres de golosona!

JULIANA

Pues sí que la hija de mi madre ha disfrutao de nada. En sacar vino y hojuelas pa todos se me ha ido el día,[33] con el sin fin de gente que aquí ha habío... Hoy, hoy se ha visto lo que es esta casa pa todos; y también la del tío Eusebio, sin despreciar. Y ya se verá el día de la boda. Yo sé quien va a bailarte una onza de oro y quien va a bailarte una colcha bordada de sedas, con unas flores que las ves tan preciosas de propias[34] que te dan ganas de cogerlas mismamente. Día grande ha de ser. ¡Bendito sea Dios! de mucha alegría y de mucho llanto también; yo la primera, que, no diré yo como tu madre, porque con una madre no hay comparación de nada, pero quitao tu madre... Y que a más de lo que es pa mí esta casa, el pensar en la moza que se me[33] murió ¡hija de mi vida! que era así y como eres tú ahora...

RAIMUNDA

¡Vaya, Juliana! arrea con todo eso y no nos encojas el corazón tú también, que ya tenemos bastante ca uno con lo nuestro.

JULIANA

No permita Dios de afligir yo a nadie... Pero estos días así no sé qué tienen que todo se agolpa, bueno y malo, y quiere una[3] alegrarse y se pone más entristecía... Y no digas, que no he querío mentar a su padre de ella, esté en gloria.

¡Válganos Dios! ¡Si la hubiera visto este día! Esta hija que era pa él la gloria del mundo.

RAIMUNDA

¿No callarás la boca?

JULIANA

¡No me riñas, Raimunda! Que es como si castigaras a un perro fiel, que ya sabes que eso he sido yo siempre pa esta casa y pa ti y pa tu hija; como un perro leal, con la ley de Dios el pan que he comido siempre de esta casa, con la honra del mundo como todos lo saben[35]... (*Sale.*)

RAIMUNDA

¡Qué Juliana!... Y dice bien; que ha sido siempre como un perro de leal y de fiel pa esta casa. (*Se pone a barrer.*)

ACACIA

Madre...

RAIMUNDA

¿Qué quieres, hija?

ACACIA

¿Me da usted la llave de esta cómoda, que quiero enseñarle a la Milagros unas cosillas?

RAIMUNDA

Ahí la tienes. Y ahí os quedáis, que voy a dar una vuelta a la cena. (*Sale.*)

(*La Acacia y la Milagros se sientan en el suelo y abren el cajón de abajo de la cómoda.*)

ACACIA

Mira estos pendientes; me los ha regalao... Bueno, Esteban

... ahora no está mi madre; mi madre quiere que le llame padre siempre.

MILAGROS

Y él bien te quiere.

ACACIA

Eso sí; pero padre y madre no hay más que unos... Estos pañuelos también me los trajo él de Toledo; las letras las han bordao las monjas... Estas son tarjetas postales; mira qué preciosas.

MILAGROS

¡Qué señoras tan guapetonas!

ACACIA

Son cómicas de Madrid y de París de Francia... Mira estos niños qué ricos... Esta caja me la trajo él también llena de dulces.

MILAGROS

Luego dirás...

ACACIA

Si no digo nada. Si yo bien veo que me quiere; pero yo hubiera querido mejor y[13] estar yo sola con mi madre.

MILAGROS

Tu madre no te ha querido menos por eso.

ACACIA

¡Qué sé yo! Está muy ciega por él. No sé yo si tuviera que elegir entre mí y ese hombre...

MILAGROS

¡Qué cosas dices! Ya ves, tú ahora te casas y si tu madre hubiera seguido viuda, bien sola la dejabas.[36]

ACACIA

¿Pero tú crees que yo me hubiera casao si yo hubiera estao sola con mi madre?

MILAGROS

¡Anda! ¿No te habías de haber casao? Lo mismo que ahora.

ACACIA

No lo creas. ¿Ande iba yo haber estao más ricamente que con mi madre en esta casa?

MILAGROS

Pues no tienes razón. Todos dicen que tu padrastro ha sido muy bueno para ti y con tu madre. Si no hubiera sido así, ya tú ves, con lo que se habla en los pueblos...

ACACIA

Sí ha sido bueno; no diré yo otra cosa. Pero yo no me hubiera casao si mi madre no vuelve a casarse.[37]

MILAGROS

¿Sabes lo que te digo?

ACACIA

¿Qué?

MILAGROS

Que no van descaminados los que dicen que tú no quieres a Faustino, que al que tú quieres es a Norberto.

ACACIA

No es verdad. ¡Qué voy a quererle! Después de la acción que me hizo.

MILAGROS

Pero si todos dicen que fuistes tú quien le dejó.

ACACIA

¡Que fuí yo, que fuí yo! Si él no hubiera dao motivo... En fin, no quiero hablar de esto... Pero no dicen bien; quiero más a Faustino que le he querido a él.

MILAGROS

Así debe de ser. De otro modo mal harías en casarte. ¿Te han dicho que Norberto y[13] se fué del pueblo esta mañana? A la cuenta no ha querido estar aquí el día de hoy.

ACACIA

¿Qué más tiene pa él este día que cualquiera otro? Mira, ésta es la última carta que me escribió, después que concluímos... Como yo no he consentío volverle a ver... no sé pa qué la guardo... Ahora mismito voy a hacerla pedazos. (*La rompe.*) ¡Ea!

MILAGROS

¡Mujer, con qué rabia!...

ACACIA

Pa lo que dice... y quemo los pedazos...

MILAGROS

¡Mujer, no se inflame la lámpara!

ACACIA

(*Abre la ventana.*) Y ahora a la calle, al viento. ¡Acabao y bien acabao está todo!... ¡Qué oscuridad de noche!

MILAGROS

(*Asomándose también a la ventana.*) Sí que está miedoso; sin luna y sin estrellas...

ACACIA

¿Has oído?

MILAGROS

Habrá sido una puerta que habrán cerrao de golpe.

ACACIA

Ha sonao como un tiro.

MILAGROS

¡Qué, mujer! ¿Un tiro a estas horas? Si no es que avisan de algún fuego y no se ve resplandor de ninguna parte.

ACACIA

¿Querrás creerme que estoy asustada?

MILAGROS

¡Qué, mujer!

ACACIA

(*Corriendo de pronto hacia la puerta.*) ¡Madre, madre!

RAIMUNDA

(*Desde abajo.*) ¡Hija!

ACACIA

¿No ha oído usted nada?

RAIMUNDA

(*Idem.*) Sí, hija; ya he mandao a la Juliana a enterarse... No tengas susto.

ACACIA

¡Ay, madre!

RAIMUNDA

¡Calla, hija! Ya subo.

ACACIA

Ha sido un tiro lo que ha sonao, ha sido un tiro.

MILAGROS

Aunque así sea; nada malo habrá pasao.

ACACIA

¡Dios lo haga!

(*Entra Raimunda.*)

RAIMUNDA

¿Te has asustao, hija? No habrá sido nada.

ACACIA

También usted está asustada, madre.

RAIMUNDA

De verte a ti... Al pronto, pues como está tu padre fuera de casa, sí me he sobresaltao... Pero no hay razón para ello. Nada malo puede haber pasao... ¡Calla! ¡Escucha! ¿Quién habla abajo? ¡Ay, Virgen!

ACACIA

¡Ay madre, madre!

MILAGROS

¿Qué dicen, qué dicen?

RAIMUNDA

No bajes tú, que ya voy yo.

ACACIA

No baje usted, madre.

RAIMUNDA

Si no sé qué he entendido ... ¡ Ay, Esteban de mi vida y que no le haya pasao nada malo! (*Sale.*)

MILAGROS

Abajo hay mucha gente ... pero de aquí no les entiendo lo que hablan.

ACACIA

Algo malo ha sido, algo malo ha sido. ¡ Ay, lo que estoy pensando!

MILAGROS

También yo, pero no quiero decírtelo.

ACACIA

¿ Qué crees tú que ha sido?

MILAGROS

No quiero decírtelo, no quiero decírtelo.

RAIMUNDA

(*Desde abajo.*) ¡ Ay, Virgen Santísima del Carmen! ¡ Ay, qué desgracia! ¡ Ay, esa pobre madre cuando lo sepa que han matado a su hijo! ¡ Ay, no quiero pensarlo! ¡ Ay, qué desgracia, qué desgracia pa todos!

ACACIA

¿ Has entendido?... Mi madre ... ¡ Madre ... madre!...

RAIMUNDA

¡ Hija, hija, no bajes! ¡ Ya voy, ya voy!

(*Entran Raimunda, la Fidela, la Engracia y algunas mujeres.*)

ACACIA

Pero, ¿qué ha pasao? ¿qué ha pasao? Ha habido una muerte, ¿verdad? ha habido una muerte.

RAIMUNDA

¡Hija de mi vida! ¡Faustino, Faustino!...

ACACIA

¿Qué?

RAIMUNDA

Que lo han matao, que lo han matao de un tiro a la salida del pueblo.

ACACIA

¡Ay, madre! ¿Y quién ha sido, quién ha sido?

RAIMUNDA

No se sabe... no han visto a nadie... Pero todos dicen y[13] que ha sido Norberto; pa que sea mayor la desgracia que nos ha venido a todos.

ENGRACIA

No puede haber sido otro.

MUJERES

¡Norberto!... ¡Norberto!

FIDELA

Ya han acudío los de justicia.

ENGRACIA

Lo traerán preso.

RAIMUNDA

Aquí está tu padre. (*Entra Esteban.*) ¡Esteban de mi vida! ¿Cómo ha sido? ¿Qué sabes tú?

ESTEBAN

¿Qué tengo de saber? Lo que todos... Vosotras no me[4] salgáis de aquí, no tenéis que hacer nada por el pueblo.

RAIMUNDA

¡Y ese padre cómo estará! ¡Y aquella madre, cuando le lleven a su hijo que salió esta mañana de casa lleno de vida y lleno de ilusiones, y vea que se lo traen muerto de tan mala muerte, asesinao de esa manera!

ENGRACIA

Con la horca no paga y el que haiga sío.[38]

FIDELA

Aquí, aquí mismo habían de matarlo.

RAIMUNDA

Yo quisiera verlo, Esteban; que no se lo lleven sin verlo... Y esta hija también; al fin iba a ser su marido.

ESTEBAN

No acelerarse; lugar habrá para todo. Esta noche no os mováis de aquí, ya os lo he dicho. Ahora no tiene que hacer allí nadie más que la justicia; ni el médico ni el cura han podido hacer nada. Yo me vuelvo pa allá, que a todos han de tomarnos declaración. (*Sale Esteban.*)

RAIMUNDA

Tiene razón tu padre. ¿Qué podemos ya hacer por él? Encomendarle su alma a Dios... Y a esa pobre madre que no se me quita del pensamiento... No estés así, hija, que me asustas más que si te viera llorar y gritar. ¡Ay, quién nos hubiera dicho esta mañana lo que tenía que sucedernos tan pronto!

ENGRACIA

El corazón y dicen que le ha partío.[39]

FIDELA

Redondo cayó del caballo.

RAIMUNDA

¡Qué borrón y qué deshonra pa este pueblo y que de aquí haya salido el asesino con tan mala entraña! ¡Y que sea de nuestra familia pa mayor vergüenza!

GASPARA

Eso es lo que aún no sabemos nadie.

RAIMUNDA

¿Y quién otro puede haber sido? Si lo dicen todos...

ENGRACIA

Todos lo dicen. Norberto ha sido.

FIDELA

Norberto, no puede haber sido otro.

RAIMUNDA

Milagros, hija, enciende esas luces a la Virgen y vamos a rezarle un rosario ya que no podamos hacer otra cosa más que rezarle por su alma.

GASPARA

¡El Señor le haiga perdonao!

ENGRACIA

Que ha muerto sin confesión.

FIDELA

Y estará su alma en pena. ¡Dios nos libre!

RAIMUNDA

(*A Milagros.*) Lleva tú el rosario; yo ni puedo rezar. ¡Esa madre, esa madre! (*Empiezan a rezar el rosario. Telón.*)

Acto segundo

PORTAL DE UNA CASA DE LABOR. PUERTA GRANDE AL FORO, QUE DA AL CAMPO. REJA A LOS LADOS. UNA PUERTA A LA DERECHA Y OTRA A LA IZQUIERDA

ESCENA PRIMERA

LA RAIMUNDA, LA ACACIA, LA JULIANA Y ESTEBAN

Esteban, sentado a una mesa pequeña, almuerza. La Raimunda, sentada también, le sirve. La Juliana entra y sale asistiendo a la mesa. La Acacia, sentada en una silla baja, junto a una de las ventanas, cose, con un cesto de ropa blanca al lado.

RAIMUNDA

¿No está a tu gusto?

ESTEBAN

Sí, mujer.

RAIMUNDA

No has comido nada. ¿Quieres que se prepare alguna otra cosa?

ESTEBAN

Déjate, mujer, si he comido bastante.

RAIMUNDA

¡Qué vas a decirme! (*Llamando.*) Juliana, trae pa acá la ensalada. Tú has tenido algún disgusto.

ESTEBAN

¡Qué, mujer!

RAIMUNDA

Te conoceré yo. Como que no has debío ir al pueblo. Habrás oído allí a unos y a otros. Quiere decir que determinamos, muy bien pensao, de venirnos al soto por no estar allí en estos días, y te vas tú allí esta mañana sin decirme palabra. ¿Qué tenías que hacer allí?

ESTEBAN

Tenía... que hablar con Norberto y con su padre.

RAIMUNDA

Bueno está; pero les hubieras mandao llamar y que hubieran acudío ellos. Podías haberte ahorrao el viaje y el oír a la demás gente, que bien sé yo las habladurías de unos y de otros que andarán por el pueblo.

JULIANA

Como que no sirve el estarse aquí, sin querer ver ni entender a ninguno, que como el soto es paso de toos estos lugares a la redonda no va y viene uno que no se pare aquí a oliscar y cucharetear lo que a nadie le importa.

ESTEBAN

Y tú que no dejarás de conversar con todos.

JULIANA

Pues no, señor, que está usted muy equivocao, que no he hablao con nadie, y aun esta mañana le reñí a Bernabé por hablar más de la cuenta con unos que pasaron del Encinar. Y a mí ya pueden venir a preguntarme, que de mi madre lo tengo aprendido, y es buen acuerdo: al que pregunta mucho, responderle poco, y al contrario.

RAIMUNDA

Mujer, calla la boca. Anda allá dentro. (*Sale Juliana.*) Y ¿qué anda por el pueblo?

ESTEBAN

Anda... que el tío Eusebio y sus hijos han jurao de matar a Norberto, que ellos no se conforman con que la justicia y le haya soltao tan pronto, que cualquier día se presentan allí y hacen una sonada[1]; que el pueblo anda dividío en dos bandos y mientras unos dicen que el tío Eusebio tiene razón y que no ha podío ser otro que Norberto, los otros dicen que Norberto no ha sío, y que cuando la justicia le ha puesto en la calle es porque está bien probao que es inocente.

RAIMUNDA

Yo tal creo. No ha habido una declaración en contra suya; ni el padre mismo de Faustino, ni sus criados, ni tú que ibas con ellos.

ESTEBAN

Encendiendo un cigarro íbamos el tío Eusebio y yo; por cierto que nos reíamos como dos tontos; porque yo quise presumir con mi encendedor y no daba lumbre y entonces el tío Eusebio fué y tiró de su buen pedernal y su yesca y me iba diciendo muerto de risa: anda, enciende tú con eso pa que presumas con esa maquinaria sacadineros, que yo con esto me apaño tan ricamente... Y ése fué el mal, que con esta broma nos quedamos rezagaos y cuando sonó el disparo y quisimos acudir, ya no podía verse a nadie. A más que, como luego vimos que había caído muerto, pues nos quedamos tan muertos como él, y nos hubieran matao a nosotros que no nos hubiéramos dao cuenta.

(*La Acacia se levanta de pronto y va a salir.*)

RAIMUNDA

¿Dónde vas, hija, como asustada? ¡Sí que está una pa sobresaltos!

ACACIA

Es que no saben ustedes hablar de otra cosa. ¡También es gusto! No habrá usted contao veces cómo fué y no lo tendremos oído otras tantas.

ESTEBAN

En eso lleva razón... Yo por mí no hablaría nunca; es tu madre.

ACACIA

Tengo soñao más noches... yo que antes no me asustaba nunca de estar sola ni a obscuras y ahora hasta de día me entran unos miedos...

RAIMUNDA

No eres tú sola; sí que yo duermo ni descanso de día ni de noche. Y yo sí que nunca he sido asustadiza, que ni de noche me daba cuidao de pasar por el campo santo, ni la noche de ánimas que fuera, y ahora todo me sobrecoge, los ruidos y el silencio... Y lo que son las cosas, mientras creímos todos que podía haber sido Norberto, con ser de la familia y ser una desgracia y una vergüenza pa todos, pues quiere decirse que como ya no tenía remedio, pues... ¡qué sé yo! estaba tan conforme... al fin y al cabo tenía su explicación. Pero ahora... si no ha sío Norberto, ni nadie sabemos quién ha sido y nadie podemos explicarnos por qué mataron a ese pobre, yo no puedo estar tranquila. Si no era Norberto, ¿quién podía quererle mal? Es que ha sido por una venganza, algún enemigo de su padre, quién sabe si tuyo también... y quién sabe si no iba contra ti el golpe y como era de noche y hacía muy obscuro no se confundieron y lo que no hicieron entonces lo harán otro día y... y vamos, que yo no vivo ni descanso y ca vez que sales de casa y andas por esos caminos me entra un desasosiego... Mismo hoy, como ya te tardabas, en poco estuve de irme yo pa el pueblo.

ACACIA

Y al camino ha salido usted.

RAIMUNDA

Es verdad; pero como te vi desde el altozano que ya llegabas por los molinos y vi que venía el Rubio contigo, me volví corriendo pa que no me riñeras. Bien sé que no es posible, pero yo quisiera ir ahora siempre ande tú fueras, no desapartarme de junto a ti por nada de este mundo; de otro modo no puedo estar tranquila, no es vida ésta.

ESTEBAN

Yo no creo que nadie me quiera mal. Yo nunca hice mal a nadie. Yo bien descuidao voy ande quiera, de día como de noche.

RAIMUNDA

Lo mismo me parecía a mí antes, que nadie podía querernos mal... Esta casa ha sido el amparo de mucha gente. Pero basta una mala voluntad, basta con una mala intención; y ¡qué sabemos nosotros si hay quien nos quiere mal sin nosotros saberlo! De ande ha venido este golpe puede venir otro. La justicia ha soltao a Norberto, porque no ha podido probarse que tuviera culpa ninguna ... Y yo me alegro. ¿No tengo de alegrarme? si es hijo de una hermana, la que yo más quería ... Yo nunca pude creer que Norberto tuviera tan mala entraña pa hacer una cosa como ésa ... ¡asesinar a un hombre a traición! Pero ¿es que ya se ha terminado todo? ¿Qué hace ahora la justicia? ¿Por qué no buscan, por qué no habla nadie? Porque alguien tié que saber, alguno tié que haber visto aquel día quién pasó por allí, quién rondaba por el camino... Cuando nada malo se trama, todos son a dar razón de quién va y quién viene, sin nadie preguntar todo se sabe, y cuando más importa saber, nadie sabe, nadie ha visto nada ...

ESTEBAN

¡Mujer! ¿Qué particular tiene que así sea? El que a nada malo va,[2] no tiene por qué ocultarse; el que lleva una mala idea, ya mira de esconderse.

RAIMUNDA

¿Tú quién piensas que pué haber sido?

ESTEBAN

¿Yo? La verdad ... pensaba en Norberto como todos; de no haber sido él,[3] ya no me atrevo a pensar de nadie.

RAIMUNDA

Pues mira: yo bien sé que vas a reñirme, pero ¿sabes lo que he determinao?

ESTEBAN

Tú dirás ...

RAIMUNDA

Hablar yo con Norberto. He mandado a Bernabé a buscarlo. Pienso que no tardará en acudir.

ACACIA

¿Norberto? ¿Y qué quiere usted saber dél?

ESTEBAN

Eso digo yo. ¿Qué crees tú que él puede decirte?

RAIMUNDA

¡Qué sé yo! Yo sé que él a mí no puede engañarme. Por la memoria de su madre he de pedirle que me diga la verdá de todo. Aunque él hubiera sido, ya sabe él que yo a nadie había de ir a contarlo. Es que yo no puedo vivir así, temblando siempre por todos nosotros.

ESTEBAN

Y ¿tú crees que Norberto va a decirte a ti lo que haya sido, si ha sido él quien lo hizo?

RAIMUNDA

Pero yo me quedaré satisfecha después de oírle.

ESTEBAN

Allá tú, pero cree que todo ello sólo servirá para más habladurías si saben que ha venido a esta casa. A más, que hoy ha de venir el tío Eusebio y si se encuentran ...

RAIMUNDA

Por el camino no han de encontrarse, que llegan de una parte ca uno ... y aquí, la casa es grande, y ya estarán al cuidao.

(*Entra la Juliana.*)

JULIANA

Señor amo...

ESTEBAN

¿Qué hay?

JULIANA

El tío Eusebio que está al llegar y vengo a avisarle, por si no quiere usted verlo.

ESTEBAN

Yo ¿por qué? Mira si ha tardao en acudir. Tú verás si acude también el otro.

RAIMUNDA

Por pronto que quiera...

ESTEBAN

Y ¿quién te ha dicho a ti que yo no quiero ver al tío Eusebio?

JULIANA

No vaya usted a achacármelo a mí también; que yo por mí no hablo. El Rubio ha sido quien me ha dicho y que usted no quería verle, porque está muy emperrao en que usted no se ha puesto de su parte con la justicia y por eso y han soltao a Norberto.

ESTEBAN

Al Rubio ya le diré yo quién le manda meterse en explicaciones.

JULIANA

Otras cosas también había usted de decirle, que está de algún tiempo a esta parte que[4] nos quiere avasallar a todos. Hoy, Dios me perdone si le ofendo, pero me parece que ha bebido más de la cuenta.

RAIMUNDA

Pues eso sí que no pué consentírsele. Me va a oír.

ESTEBAN

Déjate, mujer. Ya le diré yo luego.

RAIMUNDA

Sí que está la casa en república[5]; bien se prevalen de que una no está pa gobernarla... Es que lo tengo visto, en cuantito que una se descuida... ¡Buen rato de holgazanes están todos ellos!

JULIANA

No lo dirás por mí, Raimunda, que no quisiera oírtelo.

RAIMUNDA

Lo digo por quien lo digo, y quien se pica ajos come.[6]

JULIANA

¡Señor, Señor! ¡Quién ha visto esta casa! No parece sino que todos hemos pisao una mala yerba, a todos nos han cambiado; todos son a pegar unos con otros y todos conmigo[7]... ¡Válgame Dios y me dé paciencia pa llevarlo todo!

RAIMUNDA

¡Y a mí pa aguantaros!

JULIANA

Bueno está. ¿A mí también? Tendré yo la culpa de todo.

RAIMUNDA

Si me miraras a la cara sabrías cuándo habías de callar la boca y quitárteme de delante sin que tuviera que decírtelo.

JULIANA

Bueno está. Ya me tiés callada como una muerta y ya me quito de delante. ¡Válgame Dios, Señor! No tendrás que decirme nada. (*Sale.*)

ESTEBAN

Aquí está el tío Eusebio.

ACACIA

Les dejo a ustedes. Cuando me ve se aflige... y como está que no sabe lo que le pasa, a la postre siempre dice algo que ofende. A él le parece que nadie más que él hemos sentido a su hijo.

RAIMUNDA

Pues más no digo, pero puede que tanto como su madre y le haya llorao yo. Al tío Eusebio no hay que hacerle caso; el pobre está muy acabao. Pero tiés razón, mejor es que no te vea.

ACACIA

Estas camisas ya están listas, madre. Las plancharé ahora.

ESTEBAN

¿Has estao cosiendo pa mí?

ACACIA

Ya lo ve usted.

RAIMUNDA

¡Si ella no cose![8] Yo estoy tan holgazana... ¡Bendito Dios! no me conozco. Pero ella es trabajadora y se aplica. (*Acariciándola al pasar para el mutis.*) ¿No querrá Dios que tengas suerte, hija? (*Sale Acacia.*) ¡Lo que somos las madres![9] Con lo acobardada que estaba yo de pensar y que iba a casárseme tan moza y ahora . . . ¡ Qué no daría yo por verla casada!

ESCENA II

LA RAIMUNDA, ESTEBAN Y EL TÍO EUSEBIO

EUSEBIO

¿ Ande anda la gente?

ESTEBAN

Aquí, tío Eusebio.

EUSEBIO

Salud a todos.

RAIMUNDA

Venga usted con bien, tío Eusebio.

ESTEBAN

¿ Ha dejao usted acomodás las caballerías?

EUSEBIO

Ya se ha hecho cargo el espolique.

ESTEBAN

Siéntese usted. Anda, Raimunda, ponle un vaso del vino que tanto le gusta.

EUSEBIO

No, se agradece; dejarse estar, que ando muy malamente y el vino no me presta.

ESTEBAN

Pero si éste es talmente una medicina.

EUSEBIO

No, no lo traigas.

RAIMUNDA

Como usted quiera. Y ¿cómo va, tío Eusebio, cómo va? ¿Y la Julia?

EUSEBIO

Figúrate, la Julia... Esa se me va etrás de su hijo[10]; ya lo tengo pronosticao.

RAIMUNDA

No lo quiera Dios, que aún le quedan otros cuatro por quien mirar.

EUSEBIO

Pa más cuidaos; que aquella madre no vive pensando siempre en todo lo malo que puede sucederles. Y con esto de ahora. Esto ha venido a concluir de aplanarnos. Tan y mientras confiamos que se haría justicia... Es que me lo decían todos y yo no quería creerlo... Y ahí le tenéis, al criminal, en la calle, en su casa, riéndose de tóos nosotros; pa afirmarme yo más en lo que ya me tengo bien sabido; que en este mundo no hay más justicia que la que ca uno se toma por su mano. Y a eso darán lugar, y a eso te mandé ayer razón, pa que fueras tú y les dijeses que si mis hijos se presentaban por el pueblo que no les dejasen entrar por ningún caso, y si era menester que los pusieran presos, todo antes que otro trastorno pa mi casa; aunque me duela que la muerte de mi hijo quede sin castigar, si Dios no la castiga, que tié que castigarla o no hay Dios en el cielo.

RAIMUNDA

No se vuelva usted contra Dios, tío Eusebio; que aunque la justicia no diera nunca con el que le mató tan malamente a su hijo, nadie quisiéramos estar en su lugar dél. ¡Allá él con su conciencia! Por cosa ninguna de este mundo quisiera yo tener mi alma como él tendrá la suya; que si los que nada malo hemos hecho ya pasamos en vida el purgatorio, el que ha hecho una cosa así tié que pasar el infierno; tan cierto puede usted estar como hemos de morirnos.

EUSEBIO

Así será como tú dices, pero ¿no es triste gracia que por no hacerse justicia como es debido, sobre lo pasao, tenga yo que andar ahora sobre mis hijos pa estorbarlos de que quieran tomarse la justicia por su mano y que sean ellos los que, a la postre, se vean en un presidio? Y que lo harán como lo dicen. ¡Hay que oírles! Hasta el chequetico; va pa los doce años, hay que verle apretando los puños como un hombre y jurando que el que ha matao a su hermano se las tié que pagar,[11] sea como sea... Yo le oigo y me pongo a llorar como una criatura... y su madre, no se diga. Y la verdad es que uno bien quisiera decirles: ¡Andar ya, hijos, y matarle a cantazos como a un perro malo y hacerle peazos aunque sea y traérnoslo aquí a la rastra![12]... Pero tié uno que tragárselo tóo y poner cara seria y decirles que ni por el pensamiento se les pase semejante cosa, que sería matar a su madre y una ruina pa todos...

RAIMUNDA

Pero, vamos a ver, tío Eusebio, que tampoco usted quiere atender a razones; si la justicia ha sentenciao que no ha sido Norberto, si nadie ha declarao la menor cosa en contra suya, si ha podido probar ande estuvo y lo que hizo todo aquel día, una hora tras otra; que estuvo con sus criados en los Berrocales, que allí le vió también y estuvo hablando con él don Faustino, el médico del Encinar, mismo a la hora que sucedió lo que sucedió... y diga usted, si nadie podemos estar en dos partes al mismo tiempo... Y de sus criados podrá usted decir que estarían bien aleccionados, por más que no es tan fácil ponerse tanta gente acordes pa una mentira; pero don Faustino, bien amigo es de usted y bastantes favores le debe... y como él otros muchos que habían de estar de su parte de usted, y todos han declarao lo mismo. Sólo un pastor de los Berrocales supo decir que él había visto de lejos a un hombre a aquellas horas, pero que él no sabría decir quién pudiera ser; pero por la persona y el aire y el vestido, no podía ser Norberto.

EUSEBIO

Si a que no fuera él yo no digo nada. Pero ¿ deja de ser uno el que lo hace, porque haiga comprao a otro pa que lo haga?[13] Y eso no pué dudarse... La muerte de mi hijo no tié otra explicación... Que no vengan a mí a decirme que si éste, que si el otro. Yo no tengo enemigos pa una cosa así.[14] Yo no hice nunca mal a nadie. Harto estoy de perdonar multas a unos y a otros, sin mirar si son de los nuestros o de los contrarios. Si mis tierras paecen la venta de mal abrigo.[15] ¡ Si fuea yo a poner todas las denuncias de los destrozos que me están haciendo todos los días! A Faustino me lo han matao porque iba a casarse con Acacia; no hay más razón y esa razón no podía tenerla otro que Norberto. Y si todos hubieran dicho lo que saben ya se hubiera aclarao todo. Pero quien más podía decir, no ha querido decirlo...

RAIMUNDA

Nosotros. ¿Verdad usted?

EUSEBIO

Yo a nadie señalo.

RAIMUNDA

Cuando las palabras llevan su intención no es menester nombrar a nadie ni señalar con el dedo. Es que usted está creído, porque Norberto sea de la familia, que si nosotros hubiéramos sabido algo, habíamos de haber callao.

EUSEBIO

Pero, ¿vas tú a decirme que la Acacia no sabe más de lo que ha dicho?

RAIMUNDA

No, señor, que no sabe más de lo que todos sabemos. Es que usted se ha emperrao en que no puede ser otro que Norberto, es que usted no quiere creerse de que nadie pueda quererle a usted mal por alguna otra cosa. Nadie somos santos, tío Eusebio. Usted tendrá hecho mucho bien, pero también tendrá usted hecho algún mal en su vida; usted pensará que no es pa que nadie se acuerde,[16] pero al que se lo haiga usted hecho no pensará lo mismo. A más, que si Norberto hubiera estao enamorao de mi hija hasta ese punto, antes hubiera hecho otras demostraciones. Su hijo de usted no vino a quitársela; Faustino no habló con ella hasta que mi hija despidió a Norberto y le despidió porque supo que él hablaba con otra moza y él ni siquiera fué pa venir y disculparse; de modo y manera que si a ver fuéramos,[17] él fué quien la dejó a ella plantada. Ya ve usted que nada de esto es pa hacer una muerte.

EUSEBIO

Pues si así es, ¿por qué a lo primero todos decían que no podía ser otro? y vosotros mismos, ¿no lo ibais diciendo?

RAIMUNDA

Es que así; a lo primero, ¿en quién otro podía pensarse? Pero si se para uno a pensar, no hay razón pa creer que él y solo él pueda haberlo hecho. Pero usted, no parece sino que quiere dar a entender que nosotros somos encubridores, y sépalo usted, que nadie más que nosotros[18] quisiéramos que de una vez y se supiera la verdad de todo, que si usted ha perdío un hijo, yo también tengo una hija que no va ganando nada con todo esto.

EUSEBIO

Como que así es. Y con callar lo que sabe, mucho menos. Ni vosotros ... que Norberto y su padre, pa quitarse sospechas ... no queráis saber lo que van propalando de esta casa; que si fuera uno a creerse de ello ...

RAIMUNDA

¿De nosotros? ¿Qué puen ir propalando? Tú que has estao en el pueblo, ¿qué icen?

ESTEBAN

¡Quién hace caso!

EUSEBIO

No, si yo no he de creerme de na que venga de esa parte, pero bien y que os agradecen[19] el no haber declarao en contra suya.

RAIMUNDA

¿Pero vuelve usted a las mismas? ¿Sabe usted lo que le digo, tío Eusebio? Que tié una que hacerse cargo de lo que es perder un hijo como usted lo ha perdío, pa no contestarle a usted de otra manera. Pero una también es madre,[20] ¡caray! y usted está ofendiendo a mi hija y nos ofende a todos.

ESTEBAN

¡Mujer! No se hable más... ¡Tío Eusebio!

EUSEBIO

Yo a nadie ofendo. Lo que digo es lo que dicen todos; que vosotros por ser de la familia y todo el pueblo por quitarse de esa vergüenza, os habéis confabulao todos pa que la verdad no se sepa. Y si aquí todos creen que no ha sido Norberto, en el Encinar todos creen que no ha sido otro. Y si no se hace justicia mu pronto, va a correr mucha sangre entre los dos pueblos, sin poder impedirlo nadie, que todos sabemos lo que es la sangre moza.

RAIMUNDA

Si usted va soliviantando a todos. Si pa usted no hay razón ni justicia que valga. ¿No está usted bien convencío de que si no fué que él compró a otro pa que lo hiciera, él no pudo hacerlo? Y eso de comprar a nadie pa una cosa así... ¡Vamos, que no me cabe a mí en la cabeza! ¿A quién puede comprar un mozo como Norberto? Y no vamos a creer que su padre dél iba a mediar en una cosa así.

EUSEBIO

Pa comprar a una mala alma, no es menester mucho. ¿No tienes ahí, sin ir más lejos, a los de Valderrobles que por tres duros y medio mataron a los dos cabreros?

RAIMUNDA

¿Y qué tardó en saberse; que ellos mismos se descubrieron disputando por medio duro? El que compra a un hombre pa una cosa así, viene a ser como un esclavo suyo ya pa toda la vida. Eso podrá creerse de algún señorón con mucho poder, que pueda comprar quien le quite de en medio a cualquiera que pueda estorbarle. Pero Norberto...

EUSEBIO

A nadie nos falta un criado que es como un perro fiel en la casa pa obedecer lo que se le manda.

RAIMUNDA

Pué que usted los tenga de esa casta y que alguna vez los haya usted mandao algo parecido, que el que lo hace lo piensa.

EUSEBIO

Mírate bien en lo que estás diciendo.

RAIMUNDA

Usted es el que tié que mirarse.

ESTEBAN

¿Pero no quiés callar, Raimunda?

EUSEBIO

Ya lo estás oyendo. ¿Qué dices tú?

ESTEBAN

Que dejemos ya esta conversación que todo será volvernos más locos.

EUSEBIO

Por mí, dejá está.[21]

RAIMUNDA

Diga usted que usted no pué conformarse con no saber quién le ha matao a su hijo y razón tiene usted que le sobra; pero no es razón pa envolvernos a todos, que si usted pide que se haga justicia, más se lo estoy pidiendo yo a Dios todos los días, y que no se quede sin castigar el que lo hizo, así fuera un hijo mío el que lo hubiera hecho.

ESCENA III

DICHOS Y EL RUBIO

RUBIO

Con licencia.

ESTEBAN

¿Qué hay, Rubio?

RUBIO

No me mire usted así, mi amo, que no estoy bebío ... Lo de esta mañana fué que salimos sin almorzar y me convidaron y un traguete que bebió uno,[20] pues le cayó a uno mal y eso fué todo ... Lo que siento es que usted se haya incomodao.

RAIMUNDA

¡Ay, me parece que tú no estás bueno! Ya me lo había dicho la Juliana.

RUBIO

La Juliana es una enreaora. Eso quería ecirle al amo.

ESTEBAN

¡Rubio! Después me dirás lo que quieras. Está aquí el tío Eusebio. ¿No lo estás viendo?

RUBIO

¿El tío Eusebio? Ya le había visto... ¿qué le trae por acá?

RAIMUNDA

¡Qué te importa a ti que le traiga o le deje de traer! ¡Habráse visto! Anda, anda y acaba de dormirla, que tú no estás en tus cabales.

RUBIO

No me diga usted eso, mi ama.

ESTEBAN

¡Rubio!

RUBIO

La Juliana es una enreaora. Yo no he bebío... y el dinero que se me cayó era mío, yo no soy ningún ladrón, ni he robao a nadie... Y mi mujer tampoco le debe a nadie lo que lleva encima... ¿Verdá usted, señor amo?

ESTEBAN

¡Rubio! Anda ya, y acuéstate y no parezcas hasta que te hayas hartao de dormir. ¿Qué dirá el tío Eusebio? ¿No has reparao?

RUBIO

Demasiao que he reparao... Bueno está... No tié usted que ecirme nada... (*Sale.*)

RAIMUNDA

Pa lo que dice usted de los criados, tío Eusebio... sin tenerle que tapar a uno nada, ya de por sí saben abusar... Dígame usted si tuviera alguno cualquier tapujo con ellos...[22] Pero ¿pué saberse qué le ha pasao hoy al Rubio? ¿Es que ahora va a emborracharse todos los días? Nunca había tenido él esa falta; pues no vayas a consentírsela que como empiece así...

ESTEBAN

¡Qué, mujer! Si porque no tié costumbre es por lo que hoy se ha achispao una miaja. A la cuenta mientras yo andaba a unas cosas y otras por el pueblo, le han convidao en la taberna... Ya le he reñío yo, y le mandé acostar; pero a la cuenta no ha dormío bastante y se ha entrao aquí sin saber entoavía lo que se habla... No es pa espantarse.

EUSEBIO

Claro está que no. ¿Mandas algo?

ESTEBAN

¿Ya se vuelve usted, tío Eusebio?

EUSEBIO

Tú verás. Lo que siento es haber venío pa tener un disgusto.

RAIMUNDA

Aquí no ha habido disgusto ninguno. ¡Qué voy yo a disgustarme con usted!

EUSEBIO

Así debe de ser. ¡Hacerse cargo, con lo que a mí me ha pasao! Esa espina no se arranca así como así; clavada estará y bien clavada hasta que quiera Dios llevársele a uno de este mundo. ¿Tenéis pensao de estar muchos días en el Soto?

ESTEBAN

Hasta el domingo. Aquí no hay nada que hacer. Sólo hemos venido por no estar en el pueblo en estos días; como al volver Norberto tóo habían de ser historias...[23]

EUSEBIO

Como que así será. Pues yo no te dejo encargao otra cosa: cuando estés allí, que estés a la mira por si se presentan mis hijos, que no me vayan a hacer alguna,[24] que no quiero pensarlo.

ESTEBAN

Vaya usted descuidao; pa que hicieran algo estando yo allí, mal había yo de verme.[25]

EUSEBIO

Pues no te digo más. Estos días les tengo entretenidos trabajando en las tierras de la linde del río... Si no va por allí alguien que me los soliviante... Vaya, quedar con Dios. ¿Y la Acacia?

RAIMUNDA

Por no afligirle a usted no habrá acudío... Y que ella también de verle a usted se recuerda de muchas cosas.

EUSEBIO

Tiés razón.

ESTEBAN

Voy a que saquen las caballerías.

EUSEBIO

Déjate estar. Yo daré una voz... ¡Francisco! Allá viene. No vengas tú, mujer. Con Dios. (*Van saliendo.*)

RAIMUNDA

Con Dios, tío Eusebio; y pa la Julia no le digo a usted nada ...que me acuerdo mucho de ella, y que más tengo rezao por ella que por su hijo, que a él Dios le habrá perdonao, que ningún daño hizo pa tener el mal fin que tuvo... ¡Pobre! (*Han salido Esteban y el tío Eusebio.*)

ESCENA IV

RAIMUNDA Y BERNABÉ

BERNABÉ

¡Señora ama!

RAIMUNDA

¿Qué? ¿Viste a Norberto?

BERNABÉ

Como que aquí está; ha venido conmigo. ¡Más pronto! El, de su parte, estaba deseandito de avistarse con usted.

RAIMUNDA

¿No os habréis cruzao con el tío Eusebio?

BERNABÉ

A lo lejos le vimos llegar de la parte del río; con que nosotros echamos de la otra parte y nos metimos por el corralón y allí me dejé a Norberto agazapao, hasta que el tío Eusebio se volviera pa el Encinar.

RAIMUNDA

Pues mira si va ya camino.

BERNABÉ

Ende aquí le veo que ya va llegando por la cruz.

RAIMUNDA

Pues ya puedes traer a Norberto. Atiende antes. ¿Qué anda por el pueblo?

BERNABÉ

Mucha maldá, señora ama. Mucho va a tener que hacer la justicia si quiere averiguar algo.

RAIMUNDA

Pero, allí ¿nadie cree que haya sío Norberto? ¿Verdad?

BERNABÉ

Y que le arrean un estacazo al que diga otra cosa. Ayer, cuando llegó, que ya venía medio pueblo con él que salieron al camino a esperarle, todo el pueblo se juntó pa recibirle, y en volandas le llevaron hasta su casa, y todas las mujeres lloraban, y todos los hombres le abrazaban, y su padre se quedó como acidentao...

RAIMUNDA

¡Pobre! ¡No, no podía haber sío él!

BERNABÉ

Y como se susurra que los del Encinar y se han dejao decir que vendrán a matarlo el día menos pensao, pues toos los hombres, hasta los más viejos, andan con garrotes y armas escondías.

RAIMUNDA

¡Dios nos asista! Atiende: el amo, cuando estuvo allí esta mañana, ¿sabes si ha tenío algún disgusto?

BERNABÉ

¿Ya le han venío a usted con el cuento?

RAIMUNDA

No...es decir, sí, ya lo sé.

BERNABÉ

El Rubio que se entró en la taberna y parece ser que allí habló cosas... Y como le avisaron al amo se fué allí a buscarle y le sacó a empellones, y él se insolentó con el amo... Estaba bebío...

RAIMUNDA

Y ¿qué hablaba el Rubio, si pué saberse?

BERNABÉ

Que se fué de la lengua... Estaba bebío... ¿Quiere usted que le diga mi sentir? Pues que no debieran ustedes de parecer por el pueblo en unos cuantos días.

RAIMUNDA

Ya puedes tenerlo por seguro. Lo que hace a mí, no volvería nunca... ¡Ay, Virgen! que me ha entrao una desazón que echaría a correr tóo ese camino largo adelante[26] y después me subiría por aquellos cerros y después no sé yo ande quisiea esconderme, que no parece sino que viene alguien detrás de mí, peor que pa matarme... Y el amo... ¿Ande está el amo?

BERNABÉ

Con el Rubio andaba.

RAIMUNDA

Ve y tráete a Norberto.

(*Sale Bernabé.*)

ESCENA V

RAIMUNDA Y NORBERTO

NORBERTO

¡Tía Raimunda!

RAIMUNDA

¡Norberto! ¡Hijo! Ven que te abrace.

NORBERTO

Lo que me he alegrao de que usted quisiea verme. Después de mi padre y de mi madre, en gloria esté, y más vale, si había de verme visto como me han visto todos[27]... como un criminal, de nadie me acordaba como de usted.

RAIMUNDA

Yo nunca he podido creerlo, aunque lo decían todos.

NORBERTO

Bien lo sé, y que usted ha sío la primera en defenderme. ¿Y la Acacia?

RAIMUNDA

Buena está; pero con la tristeza del mundo en esta casa.

NORBERTO

¡Decir que yo había matao a Faustino! ¡Y pensar que, si no puedo probar, como pude probarlo, lo que había hecho todo aquel día; si como lo tuve pensao, cojo la escopeta y me voy yo solo a tirar unos tiros y no puedo dar razón de ande estuve, porque nadie me hubiera visto, me echan a un presidio pa toda la vida![28]

RAIMUNDA

¡No llores, hombre!

NORBERTO

Si esto no es llorar; llantos los que tengo lloraos entre aquellas cuatro paeres de una cárcel; que si me hubiean dicho a mí que tenía que ir allí algún día . . . Y lo malo no ha concluío. El tío Eusebio y sus hijos y todos los del Encinar sé que quien matarme . . . No quien creerse de que yo estoy inocente de la muerte de Faustino, tan cierto como mi madre está bajo tierra.

RAIMUNDA

Como nadie sabe quién haya sío . . . Como nada ha podido averiguarse . . . pues, ya se ve, ellos no se conforman . . . Tú, ¿de nadie sospechas?

NORBERTO

Demasiao que sospecho.

RAIMUNDA

Y ¿no le has dicho nada a la justicia?

NORBERTO

Si no hubiea podido por menos pa verme libre, lo hubiea dicho todo . . . Pero ya que no haya habío necesidá de acusar a nadie . . . Así como así, si yo hablo . . . harían conmigo igual que hicieron con el otro.

RAIMUNDA

Una venganza. ¿Verdad? Tú crees que ha sío una venganza . . . ¿Y de quién piensas tú que pué haber sido? Quisiera saberlo, porque, hazte cargo, el tío Eusebio y Esteban tien que tener los mismos enemigos; juntos han hecho siempre bueno y malo,[29] y no puedo estar tranquila . . . Esa venganza tanto ha sío contra el tío Eusebio como en contra de nosotros; pa estorbar que estuviean más unidas las dos familias; pero pueden no contentarse con esto y otro día pueden hacer lo mismo con mi marido.

NORBERTO

Por tío Esteban no pase usted cuidao.

RAIMUNDA

Tú crees...

NORBERTO

Yo no creo nada.

RAIMUNDA

Vas a decirme todo lo que sepas. A más de que, no sé por qué me paece que no eres tú solo a saberlo. Si será lo mismo que ha llegao a mi conocimiento. Lo que dicen todos.

NORBERTO

Pero no es que se haya sabío por mí... Ni tampoco pué saberse; es un runrún que anda por el pueblo na más. Por mí na se sabe.

RAIMUNDA

Por la gloria de tu madre, vas a decírmelo todo, Norberto.

NORBERTO

No me haga usted hablar. Si yo no he querido hablar ni a la justicia... Y si hablo me matan, tan cierto que me matan.

RAIMUNDA

Pero ¿quién pué matarte?

NORBERTO

Los mismos que han matao a Faustino.

RAIMUNDA

Pero ¿quién ha matao a Faustino? Alguien comprao pa eso, ¿verdad? Esta mañana en la taberna hablaba el Rubio...

NORBERTO

¿Lo sabe usted?

RAIMUNDA

Y Esteban fué a sacarle de allí pa que no hablara...

NORBERTO

Pa que no le comprometiera.

RAIMUNDA

¡Eh! ¡Pa que no le comprometiera!... Porque el Rubio estaba diciendo que él...

NORBERTO

Que él era el amo de esta casa.

RAIMUNDA

¡El amo de esta casa! Porque el Rubio ha sío...

NORBERTO

Sí, señora.

RAIMUNDA

El que ha matao a Faustino...

NORBERTO

Eso mismo.

RAIMUNDA

¡El Rubio! Ya lo sabía yo... y ¿lo saben todos en el pueblo?

NORBERTO

Si él mismo se va descubriendo; si ande llega principia a enseñar dinero, hasta billetes... Y esta mañana, como le cantaron la copla en su cara, se volvío contra todos y fué cuando avisaron a tío Esteban y le sacó a empellones de la taberna.

RAIMUNDA

¿La copla? Una copla que han sacao... Una copla que dice... ¿Cómo dice la copla?...

NORBERTO

El que quiera a la del Soto,
tié pena de la vida.
Por quererla quien la quiere
le dicen la Malquerida.[30]

RAIMUNDA

Los del Soto somos nosotros, así nos dicen, es esta casa... Y la del Soto no pué ser otra que la Acacia... ¡mi hija! Y esa copla... es la que cantan todos... Le dicen la Malquerida... ¿No dice así? ¿Y quién la quiere mal? ¿Quién pué quererla mal a mi hija? La querías tú y la quería Faustino ... Pero ¿quién otro pué quererla y por qué le dicen Malquerida?... Ven acá... ¿Por qué dejaste tú de hablar con ella, si la querías? ¿Por qué? Vas a decírmelo tóo... Mira que peor de lo que ya sé no vas a decirme nada...

NORBERTO

No quiera usted perderme y perdernos a todos. Nada se ha sabío por mí; ni cuando me vi preso quise decir náa... Se ha sabío, yo no sé cómo, por el Rubio, por mi padre, que es la única persona con quien lo tengo comunicao... Mi padre sí quería hablarle a la justicia, y yo no le he dejao, porque le matarían a él y me matarían a mí.

RAIMUNDA

No me digas náa; calla la boca... Si lo estoy viendo todo, lo estoy oyendo todo. ¡La Malquerida, la Malquerida! Escucha aquí. Dímelo a mí todo... Yo te juro que pa matarte a ti, tendrán que matarme a mí antes. Pero ya ves que tié que hacerse justicia, que mientras no se haga justicia el tío Eusebio y sus hijos van a perseguirte y de ésos sí que no podrás escapar. A Faustino lo han matao pa que no se casara con la Acacia, y tú dejaste de hablar con ella pa que no hicieran lo mismo contigo. ¿Verdad? Dímelo todo.

NORBERTO

A mí se me dijo que dejara de hablar con ella, porque había el compromiso de casarla con Faustino, que era cosa tratada de antiguo con el tío Eusebio, y que si no me avenía a las buenas, sería por las malas, y que si decía algo de todo esto ... pues que...

RAIMUNDA

Te matarían. ¿No es eso? Y tú...

NORBERTO

Yo me creí de todo, y la verdad, tomé miedo, y pa que la Acacia se enfadara conmigo, pues principié a cortejar a otra moza, que náa me importaba... Pero como luego supe que náa era verdad, que ni el tío Eusebio ni Faustino tenían tratao cosa ninguna con tío Esteban... Y cuando mataron a Faustino ... pues ya sabía yo por qué lo habían matao; porque al pretender él a la Acacia, ya no había razones que darle como a mí[31]; porque al tío Eusebio no se le podía negar la boda de su hijo, y como no se le podía negar se hizo como que se consentía a todo, hasta que hicieron lo que hicieron, que aquí estaba yo pa achacarme la muerte. ¿Qué otro podía ser? El novio de la Acacia por celos... Bien urdío sí estaba. ¡Valga Dios que algún santo veló por mí aquel día! Y que el delito pesa tanto que él mismo viene a descubrirse.

RAIMUNDA

¡Quié decirse que todo ello es verdad! ¡Que no sirve querer estar ciegos pa no verlo![32]... Pero, ¿qué venda tenía yo elante los ojos?... Y ahora todo como la luz de claro... Pero, ¡quién pudiea seguir tan ciega![33]

NORBERTO

¿Ande va usted?

RAIMUNDA

¿Lo sé yo? Voy sin sentío... Si es tan grande lo que me pasa, que paece que no me pasa nada. Mira tú, de tóo ello, sólo se me ha quedao la copla, esa copla de la Malquerida... Tiés que enseñarme el son pa cantarla... ¡Y a ese son vamos a bailar tóos hasta que nos muramos! ¡Acacia, Acacia, hija!... ¡Ven acá!

NORBERTO

¡No la llame usted! ¡No se ponga usted así, que ella no tié culpa!

ESCENA VI

DICHOS Y LA ACACIA

ACACIA

¿Qué quié usted, madre? ¡Norberto!

RAIMUNDA

¡Ven acá! ¡Mírame fijo a los ojos!

ACACIA

Pero, ¿qué le pasa a usted, madre?

RAIMUNDA

¡No, tú no pués tener culpa!

ACACIA

Pero, ¿qué le han dicho a usted, madre? ¿Qué le has dicho tú?

RAIMUNDA

Lo que saben ya tóos... ¡La Malquerida! ¡Tú no sabes que anda en coplas tu honra!

ACACIA

¡Mi honra! ¡No! ¡Eso no han podido decírselo a usted!

RAIMUNDA

No me ocultes náa. Dímelo todo. ¿Por qué no le has llamao nunca padre? ¿Por qué?

ACACIA

Porque no hay más que un padre; bien lo sabe usted. Y ese hombre no podía ser mi padre, porque yo le he odiao siempre, ende que entró en esta casa pa traer el infierno consigo.

RAIMUNDA

Pues ahora vas a llamarle tú y vas a llamarle como yo te digo, padre... Tu padre. ¿Entiendes? ¿Me has entendío? Te he dicho que llames a tu padre.

ACACIA

¿Quié usted que vaya al campo santo a llamarle? Si no es el que está allí yo no tengo otro padre. Ese ... es su marido de usted, el que usted ha querido, y pa mí no pué ser más que ese hombre, ese hombre, no sé llamarle de otra manera. Y si ya lo sabe usted tóo, no me atormente usted. ¡Que le prenda la justicia y que pague tóo el mal que ha hecho!

RAIMUNDA

La muerte de Faustino, ¿quiés decir? Y a más ... dímelo todo.

ACACIA

No, madre; si yo hubiera sío consentidora no hubieran matao a Faustino. ¿Usted cree que yo no he sabío guardarme?

RAIMUNDA

Y ¿por qué has callao? ¿Por qué no me lo has dicho a mí tóo?

ACACIA

¿Y se hubiera usted creído de mí más que de ese hombre, si estaba usted ciega por él? Y ciega tenía usted que estar pa no haberlo visto ... Si elante de usted me comía con los ojos, si andaba desatinao tras mí a toas horas y ¿quiere usted que le diga más? Le tengo odiao tanto, le aborrezco tanto que hubiera querío que anduviese entavía más desatinao a ver si se le quitaba a usted la venda de los ojos, pa que viera usted qué hombre es ése, el que me ha robao su cariño, el que usted ha querío tanto, más que quiso usted nunca a mi padre.

RAIMUNDA

¡Eso no, hija!

ACACIA

Pa que le aborreciera usted como yo le aborrezco, como me tié mandao mi padre que le aborrezca, que muchas veces lo he oído como una voz del otro mundo.

RAIMUNDA

¡Calla, hija, calla! Y ven aquí junto a tu madre, que ya no me queda más que tú en el mundo y ¡bendito Dios que aún puedo guardarte!

(*Entra Bernabé.*)

BERNABÉ

¡Señora ama, señora ama!

RAIMUNDA

¿Qué traes tú tan acelerao? ¡De seguro nada bueno!

BERNABÉ

Es que vengo a darle aviso de que no salga de aquí Norberto por ningún caso.

RAIMUNDA

¿Pues luego ...?

BERNABÉ

Están apostaos los hijos del tío Eusebio con sus criados pa salirle al encuentro.

NORBERTO

¿Qué le decía yo a usted? ¿Lo está usted viendo? ¡Vienen a matarme! ¡Y me matan, tan cierto que me matan!

RAIMUNDA

¡Nos matarán a tóos! Pero eso tié que haber sío que alguien ha corrido a llamarles.

BERNABÉ

El Rubio ha sío; que le he visto yo correrse por la linde del río hacia las tierras del tío Eusebio; el Rubio ha sido quien les ha dao el soplo.

NORBERTO

¿Qué le decía yo a usted? Pa taparse ellos quieren que los otros me maten, pa que no haiga más averiguaciones; que los otros se darán por contentos creyendo que han matao quien mató a su hermano... Y me matarán, tía Raimunda, tan cierto que me matan... Son muchos contra uno, que yo no podré defenderme, que ni un mal cuchillo traigo, que no quiero llevar arma ninguna por no tumbar a un hombre, que quiero mejor que me maten antes que volverme a ver ande ya me he visto... ¡Sálveme usted, que es muy triste morir sin culpa acosao como un lobo!

RAIMUNDA

No tiés que tener miedo. Tendrán que matarme a mí antes, ya te lo he dicho... Entra ahí con Bernabé. Tú coge la escopeta... Aquí no se atreverán a entrar, y si alguno se atreve, le tumbas sin miedo, sea quien sea. ¿Has entendío? Sea quien sea. No es menester que cerréis la puerta. Tú, aquí conmigo, hija. ¡Esteban!... ¡Esteban! ¡Esteban!

ACACIA

¿Qué va usted a hacer?

(*Entra Esteban.*)

ESTEBAN

¿Que me llamas?

RAIMUNDA

Escucha bien. Aquí está Norberto, en tu casa; allí tiés apostaos a los hijos del tío Eusebio pa que lo maten; que ni eso eres tú hombre pa hacerlo por ti y cara a cara.[34]

ESTEBAN

(*Haciendo intención de sacar un arma.*) ¡Raimunda!

ACACIA

¡Madre!

RAIMUNDA

¡No, tú no! Llama al Rubio pa que nos mate a todos, que a todos tié que matarnos pa encubrir tu delito... ¡Asesino, asesino!

ESTEBAN

¡Tú estás loca!

RAIMUNDA

Más loca tenía que estar; más loca estuve el día que entraste en esta casa, en mi casa, como un ladrón pa robarme lo que más valía.

ESTEBAN

Pero ¿pué saberse lo que estás diciendo?

RAIMUNDA

Si yo no digo na, si lo dicen tóos, si lo dirá muy pronto la justicia, y si no quieres que sea ahora mismo, que no empiece yo a voces y lo sepan todos... escucha bien; tú que los has traído, llévate a esos hombres que aguardan a un inocente para matarlo a mansalva. Norberto no saldrá de aquí más que junto conmigo, y pa matarle a él tien que matarme a mí... Pa guardarle a él y pa guardar a mi hija me basto yo sola, contra ti y contra tóos los asesinos que tú pagues. ¡Mal hombre! Anda ya y ve a esconderte en lo más escondío de esos cerros, en una cueva de alimañas. Ya han acudido tóos, ya no puedes atreverte conmigo... ¡Y aunque estuviera yo sola con mi hija! ¡Mi hija, mi hija! ¿No sabías que era mi hija? Aquí la tiés. ¡Mi hija! ¡La Malquerida! Pero aquí estoy yo pa guardarla de ti, y hazte cuenta de que vive su padre... ¡Y pa partirte el corazón si quisieras llegarte a ella! (*Telón.*)

Acto tercero

LA MISMA DECORACIÓN DEL SEGUNDO

ESCENA PRIMERA

RAIMUNDA Y LA JULIANA

Raimunda a la puerta, mirando con ansiedad a todas partes. Después la Juliana.

JULIANA

¡Raimunda!

RAIMUNDA

¿Qué traes? ¿Está peor?

JULIANA

No, mujer, no te asustes.

RAIMUNDA

¿Cómo está? ¿Por qué le has dejao solo?

JULIANA

Se ha quedao como adormilao, pero no se queja de náa, y la Acacia está allí junto. Es que me das tú más cuidao que el herido. Lo de él, gracias a Dios, no es de muerte. ¿Pero es que te vas a pasar todo el día sin querer tomar nada?

RAIMUNDA

¡Déjate, déjate!

JULIANA

Pues ven pa allá dentro con nosotras. ¿Qué haces aquí?

RAIMUNDA

Miraba si Bernabé no estaría al llegar.

JULIANA

Si vienen con él los que han de llevarse a Norberto no podrá estar tan pronto de vuelta. Y si vienen también los de justicia ...

RAIMUNDA

Los de justicia ... La justicia en esta casa ... ¡Ay, Juliana, y qué maldición habrá caído sobre ella!

JULIANA

Vamos, entra y no mires más de una parte y de otra, que no es Bernabé el que tú quisieas ver llegar; es otro, es tu marido, que no puede dejar de ser tu marido.

RAIMUNDA

Así es, que lo que ha durao muchos años no puede concluirse en un día. Sabiendo lo que sé, sabiendo que ya no puede ser otra cosa, y que si le viea llegar sería pa maldecir dél y pa aborrecerle toda mi vida, estoy aquí mirando de una parte y de otra, que quisiea pasar con los ojos las piedras de esos cerros, y me paece que le estoy aguardando como otras veces, pa verle llegar lleno de alegría y entrarnos de bracero como dos novios y sentarnos a comer, y sentaos a la mesa, contarnos todo lo que habíamos hecho, el tiempo que habíamos estao el uno sin el otro y reír unas veces y porfiar otras, pero siempre con el cariño del mundo. ¡Y pensar que todo ha concluído, que ya tóo sobra en esta casa, que ya pa siempre se fué la paz de Dios de con nosotros!

JULIANA

Sí que es pa no creerse ya de na de este mundo.[1] Y yo por mí, vamos, que si no me lo hubieas dicho tú, y si no te viea como te veo, nunca lo hubiea creído. Lo de la muerte de Faustino, ¡anda con Dios! aun podía tener algún otro misterio, pero lo que hace al mal querer que le ha entrao por la Acacia,[2] vamos, que se me resiste a creerlo. Y ello es que la una cosa sin la otra no hay quien pueda explicársela.

RAIMUNDA

¿De modo que tú nunca habías reparado la menor cosa?

JULIANA

Ni por lo más remoto. Y tú sabes que ende que entró en esta casa pa enamorarte, nunca le he mirao con buenos ojos, que tú sabes cómo yo quería a tu primer marío, que hombre más de bien y más cabal no le ha habío en el mundo... y vamos, ¡Jesús! que si yo hubiea reparao nunca una cosa así, ¿de aónde me había yo de estar calláa?... Ahora que una lo sabe ya cae una en la cuenta de que era mucho regalar a la muchacha, y mucho no darse por sentío,[3] por más de que ella le hiciera tantos desprecios, que no ha tenío palabra buena con él ende que te casaste, que era ella un redrojo y ya se le plantaba a insultarle, que no servía reprenderla unos y otros, ni que tú la tundieas a golpes. Y mía tú, como digo una cosa digo otra.[4] Pué que si ella ende pequeña le hubiea tomao cariño y él se hubiea hecho a mirarla como hija suya no hubiea llegao a lo que ha llegao.

RAIMUNDA

¿Vas tú a discuparle?

JULIANA

¡Qué voy a disculpar, mujer, no hay disculpa pa una cosa así! Con sólo que hubiea mirao que era hija tuya. Pero, vamos, quieo decirte que pa él, salvo ser tu hija, la muchacha era como una extraña, y ya te digo, otra cosa hubiea sío si ella le hubiea mirao como padre ende un principio, porque él no es un mal hombre, el que es malo es siempre malo, y a lo primero de casaros, cuando la Acacia era bien chica, más de cuatro veces le he visto yo caérsele los lagrimones, de ver y que la muchacha le huía como al demonio.

RAIMUNDA

Verdad es, que son los únicos disgustos que hemos tenío, por esa hija siempre.

JULIANA

Después la muchacha ha crecío, como tóos sabemos, que no tié su par ande quiea que se presenta, y despegá dél como una extraña y siempre elante los ojos, pues nadie estamos libres de un mal pensamiento.

RAIMUNDA

De un mal pensamiento no te digo, aunque nunca había de haber tenío ese mal pensamiento. Pero un mal pensamiento se espanta, cuando no se tié mala entraña. Pa llegar a lo que ha llegao, a tramar la muerte de un hombre, para estorbar y[5] que mi hija se casara y saliera de aquí, de su lao, ya tié que haber más que un mal pensamiento, ya tié que estarse pensando siempre lo mismo, al acecho siempre como un criminal, con la maldad del mundo. Si yo también quisiea pensar que no hay tanta culpa, y cuanto más lo pienso más lo veo que no tiée disculpa ninguna ... Y cuando pienso que mi hija ha estao amenazá a toas horas de una perdición como ésa, que el que es capaz de matar a un hombre es capaz de tóo ... Y si eso hubiea sido, tan cierto como me llamo Raimunda que a los dos los mato, a él y a ella, pués creérmelo. A él por su infamia tan grande, a ella si no se había dejao matar antes de consentirlo.

ESCENA II

DICHAS Y BERNABÉ

JULIANA

Aquí está Bernabé.

RAIMUNDA

¿Vienes tú solo?

BERNABÉ

Yo solo, que en el pueblo toos son a deliberar lo que ha de hacerse, y no he querío tardarme más.

RAIMUNDA

Has hecho bien, que no es vivir. ¿Qué dicen unos y otros?

BERNABÉ

Pa volverse uno loco si fuera uno a hacer cuenta.

RAIMUNDA

¿Y vendrán pa llevarse a Norberto?

BERNABÉ

En eso está su padre. El médico dice que no le lleven en carro, que podía empeorarse, que le lleven en unas angarillas, y a más que debe venir el forense y el juez a tomarle aquí la declaración, no sea caso que cuando llegue allí esté peor, y como ayer no pudo declarar como estaba sin conocimiento... Si usted no sabe, ca uno es de un parecer y nadie se entiende. Ningún hombre ha salío hoy al campo, toos andan en corrillos y las mujeres de casa en casa y de puerta en puerta, que estos días no se habrá comío ni cenao a su hora en casa ninguna...

RAIMUNDA

Pero ya sabrán que las heridas de Norberto no son de cuidado.

BERNABÉ

Y cualquiera les concierta. Ayer, cuando supieron y que los hijos del tío Eusebio le habían salío al encuentro yendo con el amo, le habían herío malamente, too eran llantos por el herío. Y hoy, cuando supieron y que no había sío pa tanto y que muy pronto estaría curao, los más amigos de Norberto ya dicen y que no había de haber sío tan poca cosa, que ya que le han herío tenía que haber sío algo más,[6] pa que los hijos del tío Eusebio tuviean su castigo, que ahora si se cura tan pronto, too queará en un juicio y nadie se conforma con tan poco.

JULIANA

De modo que mucho quieren a Norberto, pero hubiean querido mejor y que los otros lo hubiean matao. ¡Serán de brutos!

BERNABÉ

Así es. Pues ya les he dicho, que den gracias a usted que dió aviso al amo y al amo que se puso de por medio y hasta llegó a echarse la escopeta a la cara pa estorbarles de que le mataran.

RAIMUNDA

¿Les has dicho eso?

BERNABÉ

A too el que se ha llegao a preguntarme. Y lo he dicho lo uno, porque así es la verdad, y lo otro porque no quiea usted saber lo que han levantao por el pueblo que aquí había habío.[7]

RAIMUNDA

No me digas na. ¿Y el amo? ¿No ha acudío por allí? ¿No has sabío dél?

BERNABÉ

Sé que le han visto esta mañana con el Rubio y con los cabreros del Encinar en los Berrocales, que a la cuenta ha pasao allí la noche en algún mamparo. Y si valiea mi parecer no había de andar así como huído, que no están las cosas para que nadie piense lo que no ha sío.[8] Que el padre de Norberto anda diciendo lo que no debiera. Y esta mañana se ha avistao con el tío Eusebio pa imbuirle de que sus hijos no han tenío razón pa hacer lo que han hecho con su hijo.

RAIMUNDA

¿Pero es que el tío Eusebio y está en el lugar?

BERNABÉ

Con sus hijos ha ido, que esta mañana les pusieron presos. Atados codo con codo les trajeron del Encinar y su padre ha venío tras ellos a pie tóo el camino con el hijo chico de la mano sin dejar de llorar, que no ha habío quien no haya llorao de verle, hasta los más hombres.

RAIMUNDA

¡Y aquella madre allí y aquí yo! ¡Si supiean los hombres!

ESCENA III

DICHOS Y LA ACACIA

ACACIA

¡Madre!

RAIMUNDA

¿Qué me quiés, hija?

ACACIA

Norberto la llama a usted. Se ha despertao y pide agua. Dice que se muere de sed. Yo no me atrevío a dársela no fuera caso que no le prestara.

RAIMUNDA

Ha dicho el médico que pue beber agua de naranja toa la que quiera. Allí está una jarra. ¿Se queja mucho?

ACACIA

No, ahora no.

RAIMUNDA

(*A Bernabé.*) ¿Te has traío lo que dijo el médico?

BERNABÉ

En las alforjas está todo. Voy a traerlo. (*Vase.*)

ACACIA

¿No oye usted, madre? Le está a usted llamando.

RAIMUNDA

Allá voy, hijo, Norberto.

ESCENA IV

LA JULIANA Y LA ACACIA

ACACIA

¿No ha vuelto ese hombre?

JULIANA

No. Desde que sucedió lo que sucedió cogió la escopeta y salió como un loco, y el Rubio tras él.

ACACIA

¿No le han puesto preso?

JULIANA

Que sepamos.[9] Antes tendrá que declarar mucha gente.

ACACIA

Pero ya lo saben tóos, ¿verdad? Tóos oyeron a mi madre.

JULIANA

De aquí, quitao yo y Bernabé que no dirá lo que no se quiea que diga, que es un buen hombre y tie mucha ley a esta casa, los demás no han podío darse cuenta. Oyeron que gritaba tu madre, pero tóos se han creío que era tocante a Norberto, y a que los hijos del tío Eusebio venían a matarle. Aquí, si la justicia nos pregunta, nadie diremos otra cosa que lo que tu madre nos diga que hayamos de decir.

ACACIA

¿Pero es que mi madre os va a decir que os calléis? ¿Es que ella no va a decirlo tóo?

JULIANA

¿Pero es que tú te alegrarías? ¿Es que no miras la vergüenza que va a caer sobre esta casa y pa ti muy principalmente, que ca uno pensará lo que quiera y habrá y quien no puea creer que tú has sío consentiora, y habrá quien no lo crea así, y la honra de una mujer no es pa andar en boca de unos y otros que na va ganando con ello?[10]

ACACIA

¡Mi honra! Pa mí soy bien honrá. Pa los demás, allá ca uno.[11] Yo ya no he de casarme. Si me alegro de lo que ha sucedío, es por no haberme casao. Si me casaba sólo era por desesperarle.

JULIANA

Acacia, no quieo oírte, que eso es estar endemoniá.

ACACIA

Y lo estoy y lo he estao siempre, de tanto como le tengo aborrecío.

JULIANA

¿Y quién te dice que ése no ha sío tóo el mal, que no has tenío razón pa aborrecerle? Y mía que nadie como yo le hizo los cargos a tu madre cuando determinó de volverse a casar. Pero yo le he visto cuando eras bien chica y tú no podías darte cuenta lo que ese hombre se tie desesperao contigo.

ACACIA

Más me tengo yo desesperao de ver cómo le quería mi madre, que andaba siempre colgá de su cuello y yo les estorbaba siempre.

JULIANA

No digas eso, pa tu madre has sío tú siempre lo primero en el mundo. Y pa él también lo hubieas sío.

ACACIA

No, pa él sí lo he sío, pa él sí lo soy.

JULIANA

Pero no como dices, que paece que te alegras. Como tenía que haber sío, que no te hubiera él querido tan mal si tú le hubieras querido bien.

ACACIA

¿Pero cómo había de quererle, si él ha hecho que yo no quiera a mi madre?

JULIANA

¿Mujer, qué dices? ¿Que no quiés a tu madre?

ACACIA

No, no la quiero como tenía que haberla querido, si ese hombre no hubiea entrao nunca en esta casa. Si me acuerdo de una vez, era muy chica y no he podío olvidarlo, que toa una noche tuve un cuchillo guardao ebajo la almohada, y toa la noche me estuve sin dormir, pensando na más que en ir y clavárselo.

JULIANA

¡Jesús! Muchacha, ¿qué estás diciendo? ¿Y hubieas tenío valor? ¿Y hubieas ido y le hubieas matao?

ACACIA

¡Qué sé yo y a quién hubiea matao!

JULIANA

¡Jesús! ¡Virgen! Calla esa boca. Tú estás dejá de la mano de Dios. ¿Y quiés que te diga lo que pienso? Que no has tenío tú poca culpa de todo.

ACACIA

¿Que yo he tenío culpa?

JULIANA

Tú, sí, tú. Y más te digo. Que si le hubieas odiao como dices, le hubieas odiao sólo a él. ¡Ay, si tu madre supiera!

ACACIA

¿Si supiera qué?

JULIANA

Que toa esa envidia no era de él, era de ella. Que cualquiera diría que sin tú darte cuenta le estabas queriendo.

ACACIA

¿Qué dices?

JULIANA

Por odio na más, no se odia de ese modo. Pa odiar así tié que haber un querer muy grande.

ACACIA

¿Que yo he querío nunca a ese hombre?[12] ¿Tú sabes lo que estás diciendo?

JULIANA

Si yo no digo náa.

ACACIA

No, y serás capaz de ir y decírselo lo mismo a mi madre.

JULIANA

¿Te da miedo, verdad? ¿Lo ves como eres tú quien lo está diciendo tóo? Pero está descuidá. ¡Qué voy a decirle![13] ¡Bastante tié la pobre! ¡Dios nos valga!

ESCENA V

DICHAS Y BERNABÉ

BERNABÉ

Ahí está el amo.

JULIANA

¿Le has visto tú?

BERNABÉ

Sí, viene como rendío.

ACACIA

Vamos de aquí nosotras.

JULIANA

Sí, vamos, y no digas náa, que no sepa tu madre que te has podío encontrar con él.

(*Salen las mujeres.*)

ESCENA VI

BERNABÉ, ESTEBAN Y EL RUBIO, CON ESCOPETAS

BERNABÉ

¿Manda usted algo?

ESTEBAN

Nada, Bernabé.

BERNABÉ

¿Quié usted que le diga al ama . . . ?

ESTEBAN

No le digas na. Ya me verán.

RUBIO

¿Cómo está el herío?

BERNABÉ

Va mejorcito. Allá voy con tóo esto de la botica, si no manda usted otra cosa. (*Vase.*)

ESCENA VII

ESTEBAN Y EL RUBIO

ESTEBAN

Ya me tiés aquí. Tú dirás ahora.

RUBIO

¿Qué voy yo a decirle a usted? Que aquí es ande tié usted que estar. Que está usted en su casa y aquí pué usted hacerse fuerte; que eso de andar huíos y no dar la cara,[14] no es más que declararse y perdernos . . .

ESTEBAN

Ya me tiés aquí, te digo, ya me has traío como querías . . . Y ahora, tú dirás, cuando venga esa mujer y vuelva a acusarme, y les llame a tóos y venga la justicia y el tío Eusebio con ellos . . . Tú dirás . . .

RUBIO

Si hubiea usted dejao que los del tío Eusebio se las hubiesen entendío solos con el que está ahí . . . náa más que herío, ya estaría tóo acabao . . . Pero ahora hablará ése, hablará su padre dél, hablarán las mujeres . . . Y ésas son las que no tién que hablar. Lo de Faustino naide puede probárnoslo. Usted iba junto con su padre, a mí naide pudo verme; tengo buenas piernas y me habían visto casi a la misma hora a dos leguas de allí. Yo adelanté el reló en la casa ande estaba, y al despedirme traje la conversación pa que reparasen bien la hora que era.

ESTEBAN

Bueno estaría tóo eso, si después no hubieras sío tú el que ha ido descubriéndose y pregonándolo.

RUBIO

Tié usted razón, y aquel día debió usted haberme matao; pero es que aquel día, es la primera vez que he tenío miedo. Yo no esperaba que saliea libre Norberto. Usted no quiso hacer caso e mí cuando yo le ecía a usted: Hay que apretar con la justicia, que declare la Acacia y diga que Norberto le tenía jurao de matar a Faustino . . . ¿Va usted a decirme que no podía usted obligarla a que hubiea declarao[15] . . . y como ella, ya hubiéamos tenío otros que hubiean declarao de haberle entendío decir lo mismo?... Y otra cosa hubiea sío; veríamos si la justicia le había soltao así como así.[16] Pues como iba diciendo, que no es que quiea negar lo malo que hice aquel día; como vi libre a Norberto y pensé que la justicia y el tío Eusebio que había de apretar con ella, y tóos habían de echarse a buscar por otra parte, como digo, por primera vez me entró miedo y quise atolondrarme y bebí, que no tengo costumbre y me fuí de la lengua, que ya digo, aquel día me hubiea usted matao y razón tenía usted de sobra... Por más de que el runrún andaba ya por el pueblo, y eso fué lo que me acobardó, principalmente en oír la copla que tóo el mal está de esa parte,[17] créamelo usted, de que Norberto y su padre, por lo que había pasao entre usted y Norberto, ya tenían sus sospechas de que usted andaba tras la Acacia... Y ésa es la voz que hay que callar, sea como sea, que eso es lo que pué perdernos, que el delito por la causa se saca; por lo demás... que no supiean por qué había muerto y a ver de ande iban a saber quien lo había matao.[18]

ESTEBAN

Eso me digo yo ahora. ¿Por qué ha muerto nadie? ¿Por qué ha matao nadie?

RUBIO

Eso, usted lo sabrá. Pero cuando se confiaba usted de mí, cuando me decía usted un día y otro: Si esa mujer es pa otro hombre, no miraré náa. Y cuando me decía usted: Va a casarse, y esta vez no pueo espantar al que se la lleva, se casa, se la llevan de aquí y ca vez que lo pienso... ¿No se acuerda usted cuántas mañanas, apenas si había amanecío, venía usted a despertarme: Anda, Rubio, levántate, que no he podío pegar los ojos en toa la noche, vámonos al campo, quieo andar, quieo cansarme ... Y ca uno con nuestra escopeta, cogíamos y nos íbamos por ahí aelante, los dos mano a mano, sin hablar palabra horas y horas ... Allá, cuando caíamos en la cuenta, pa que no dijesen los que nos vían que salíamos de caza y no cazábamos, tirábamos unos tiros al aire: pa espantar la caza, que decía yo, pa espantar pensamientos, que decía usted; y al cabo de andar y andar, nos dejábamos caer y tumbaos sobre algún ribazo, usted, siempre callao, hasta que al cabo, soltaba usted como un bramío, como si se quitara usted un peso muy grande de encima, y me echaba usted un brazo por el cuello y se soltaba usted a hablar y a hablar, que usted mismo si hubiea querío recordarse, no hubiea usted sabío decir lo que había hablao; pero todo ello venía a parar en lo mismo: Que estoy loco, que no pueo vivir así, que me muero, que no sé qué me pasa, que esto es un castigo, que esto es un infierno ... Y vuelta a barajar las mismas palabras, pero con tanto barajar, siempre pintaba la misma, la de la muerte ... Y pintó tanto, que un día ... el cómo se acordó, ya usted lo sabe, pa qué voy a decirlo.[19]

ESTEBAN

¿No quies callar?

RUBIO

Cuidao, señor amo, cuidao con ponerme la mano encima. Y no vaya usted a creerse que antes, cuando veníamos, no le he visto a usted la intención, que más de cuatro veces, se ha quedao usted como rezagao y ha querío usted echarse la escopeta a la cara. Pa eso no hay razón, señor amo, no hay razón. Nosotros tenemos ya siempre que estar muy uníos ... Yo bien sé que usted está ya pesaroso de too y que si pudiea usted, no quisiea usted verme más en su vida ... Si con eso se quedaba usted en paz, ya me había quitao de elante. Lo que ha de saber usted, es que a mí no me ha llevao interés nenguno. Lo que usted me haiga dao, por su voluntad ha sío. A mí me sobra too; yo no bebo, no fumo, toos mis gustos no han sío siempre más que andar por esos campos a mi albedrío; lo único que me ha gustao siempre, eso sí, es tener yo mando[20]... Yo quisiea que usted y yo fuéamos como dos hermanos mismamente; yo hice lo que he hecho, porque usted hizo confianza en mí, como pue usted hacerla siempre, sépalo usted. Cuando los dos nos viéamos perdidos, me perdería yo sólo, que ya tengo pensao lo que he de decir. De usted ni palabra, antes me hacen peazos; por mí ni la tierra sabrá nunca náa. Diré que he sío yo sólo; yo sólo por ... lo que fuea, que a nadie le importa ... Yo no sé lo que podrá salirme; diez años, quince; usted tié poder pa que no sean muchos, luego, con empeños, vienen los indultos; más han hecho otros y con cuatro o cinco años han cumplío. Lo que yo quieo es que usted no se olvide de mí, y cuando vuelva que yo sea pa usted, ya lo he dicho, como un hermano, que no hay hombre sin hombre[21] y uníos los dos, podremos lo que queramos. Yo no quieo náa más que tener mando, eso sí, mucho mando, pero pa usted, usted me manda siempre ... ¡El ama! (*Viendo llegar a Raimunda.*)

ESCENA VIII

DICHOS Y RAIMUNDA

Raimunda sale con una jarra; al ver a Esteban y al Rubio se detiene asustada. Después de titubear un momento llena la jarra en un cántaro.

RUBIO

Con licencia, señora ama.

RAIMUNDA

Quita, quítateme de delante. No te me acerques. ¿Qué haces tú aquí? No quiero verte.

RUBIO

Pues tiene usted que verme y oírme.

RAIMUNDA

¡A lo que he llegao en mi casa! ¿A mí, qué ties tú que decirme?

RUBIO

Usted verá. Más tarde o más temprano nos ha de llamar a toos la justicia. En bien de toos, bueno será que estemos toos acordes. Usted dirá si por habladurías de unos y otros puede consentirse de echar un hombre a presidio.

RAIMUNDA

No iría uno solo. ¿Piensas tú que ibas a escapar?

RUBIO

No he querío decir lo que usted se piensa. Iría uno solo, pero ése no sería ningún otro más que yo.

RAIMUNDA

¿Qué dices?

RUBIO

Pero tampoco es razón que yo me calle pa que los demás hablen. Usted verá. A más de que las cosas no han sío como usted se piensa. Todas esas habladurías que andan por el pueblo, han sío cosas de Norberto y de su padre. Y esa copla tan indecente que a usted le ha soliviantao haciéndole creer lo que no ha sío . . .

RAIMUNDA

Ah, os habéis concertao en too este tiempo. Yo no tengo que creerme de náa, ni de coplas ni de habladurías. Me creo de lo que es la verdad, de lo que yo sé. Tan bien lo sé, que casi no han tenío que decírmelo. Lo he adivinao yo, lo he visto yo. Pero ni siquiera . . . Tú no, ¿cómo vas a tener esa nobleza? Pero él sería más noble que me lo confesara á mí tóo. Si bien pué saber que yo no he de ir a delatar a nadie . . . no por vosotros; por esta casa, que es la de mis padres, por mi hija, por mí. ¿Pero qué vale que yo no lo diga si lo dicen toos, si hasta las piedras lo cantan y lo pregonan por too el contorno?

RUBIO

Deje usted que pregonen, usted es la que tié que callar.

RAIMUNDA

Porque tú lo quieres. Pues mira que sólo de oírtelo a ti, ya me entran ganas de gritarlo ande más puedan escucharme.

RUBIO

No se ponga usted así, que no hay razón pa ello.

RAIMUNDA

No hay razón y habéis dao muerte a un hombre. Y ahí tenéis a otro que han podío matar por causa vuestra.

RUBIO

Y ha sío lo menos malo que ha podío suceder.

RAIMUNDA

¡Calla, calla! ¡Asesino, cobarde!

RUBIO

A usted le dicen, señor amo.

ESTEBAN

¡Rubio!

RUBIO

¿Qué?

RAIMUNDA

Así, tiés que bajar la cabeza delante de este hombre. ¡Qué más castigo! ¡Qué más caena que andar atao con él pa toa la vida! Ya tié amo esta casa. ¡Gracias a Dios! ¡Pué que mire más por su honra de lo que has mirao tú!

ESTEBAN

¡Raimunda!

RAIMUNDA

¡Qué, también digo yo! ¡Pué que conmigo sí te atrevas!

ESTEBAN

Tiés razón, tiés razón, que no he sío hombre pa meterme una onza de plomo en la cabeza y acabar de una vez.

RUBIO

¡Señor amo!

ESTEBAN

¡Quita, quita! ¡Vete de aquí, vete! ¿Cómo quiés que te lo pida? ¿De rodillas, quiés que te lo pida?

RAIMUNDA

¡Ah!

RUBIO

No, señor amo. Conmigo no tié usted que ponerse así. Ya me voy. (*A Raimunda.*) Si no hubiea sío por mí, no habría muerto un hombre, pero quizá que se hubiea perdío su hija. Ahora, ahí le tié usted, acobardao como una criatura. Ya se ha pasao tóo, fué una ventolera, un golpe de sangre. ¡Ya está curao! Y pué que yo haiga sío el médico. ¡Eso tié usted que agradecerme, pa que usted lo sepa!

ESCENA IX

RAIMUNDA Y ESTEBAN

ESTEBAN

No llores más, no quieo verte llorar. No valgo yo pa esos llantos. Yo no hubiea vuelto aquí nunca, me hubiea dejao morir entre esas breñas, si antes no me cazaban como a un lobo, que yo no había de defenderme. Pero no quiero tampoco que tú me digas nada. Too lo que puedas decirme, me lo he dicho yo antes. Más veces que tú pueas decírmelo me he dicho yo criminal y asesino. Déjame, déjame, ya no soy de esta casa. Déjame, que aquí aguardo a la justicia; y no voy yo a buscarla y a entregarme a ella porque no pueo más, porque no podría tirar de mí pa llevarme.[22] Pero si no quieres tenerme aquí me saldré en medio del camino pa dejarme caer en mitá de una de esas herrenes como si hubiean tirao una carroña fuera.[23]

RAIMUNDA

¡ Entregarte a la justicia, pa arruinar esta casa, pa que la honra de mi hija anduviea en dichos de unos y otros! Pa ti no tenía que haber habío más justicia que yo. En mí sólo que hubieas pensao. ¿ Crees que voy a creerme ahora esos llantos porque no te haya visto nunca llorar? El día que se te puso ese mal pensamiento, tenías que haber llorao hasta secársete los ojos pa no haberlos puesto y ande menos debías. Si lloras tú ¿ qué tenía que hacer yo entonces? Y aquí me tiés, que quien me viera no podría creerse de too lo que a mí me ha pasao, y no sé yo qué más podría pasarme, y no quieo recordarme de náa, no quieo pensar otra cosa que en ver de esconder de toos la vergüenza que ha caío sobre toos nosotros. Estorbar que de esta casa puea decirse y que ha salío un hombre pa ir a un presidio, y que ese hombre sea el que yo traje pa que fuea como otro padre pa mi hija. A esta casa, que ha sío la de mis padres y mis hermanos, ande toos ellos han vivío con la honra del mundo, ande los hombres que han salío de ella pa servir al Rey o pa casarse o pa trabajar otras tierras, cuando han vuelto a entrar por esas puertas han vuelto con tanta honra como habían salío. No llores, no escondas la cara, que ties que levantarla como yo cuando vengan a preguntarnos a toos. Que no se vea el humo aunque se arda la casa. Límpiate esos ojos; sangre tenían que haber llorao. ¡ Bebe una poca de agua! ¡ Veneno había de ser! No bebas tan aprisa, que estás too sudao. ¡Mira cómo vienes, arañao de las zarzas! ¡Cuchillos habían de haber sío! ¡Trae aquí que te lave, que da miedo de verte!

ESTEBAN

¡Raimunda, mujer! ¡Ten lástima de mí! ¡Si tú supieras! Yo no quiero que tú me digas náa. Pero yo sí quiero decírtelo tóo. Confesarme a ti, como me confesaría a la hora de mi muerte. ¡Si tú supieras lo que yo tengo pasao entre mí en too este tiempo! ¡Como si hubiea estao porfiando día y noche con algún otro que hubiea tenío más fuerza que yo y se hubiea empeñao en llevarme ande yo no quería ir!

RAIMUNDA

¿Pero cómo te acudió ese mal pensamiento y en qué hora maldecía?

ESTEBAN

Si no sabré decirlo. Fué como un mal que le entra a uno de pronto. Toos pensamos alguna vez algo malo, pero se va el mal pensamiento y no vuelve uno a pensar más en ello. Siendo yo muy chico, un día que mi padre me riñó y me pegó malamente, con la rabia que yo tenía, me recuerdo de haber pensao así en un pronto: "Mía si se muriese", pero fué na más que pensarlo y en seguía de haberlo pensao entrarme[24] una angustia muy grande y mucho miedo de que Dios me le llevara. Y ende aquel día me apliqué más a respetarle. Y cuando murió, años después, que ya era yo muy hombre, tanto como su muerte tengo llorao por aquel mal pensamiento y así me creía yo que sería de este otro. Pero éste no se iba. Más fijo estaba, cuanto más quería espantarle. Y tú lo has visto, que no podrás decir que yo haiga dejao de quererte, que te he querío más cada día. No podrás decir que yo haiga mirao nunca a ninguna otra mujer con mala intención. Y a ella no hubiea querío mirarla nunca. Pero sólo de sentirla andar cerca de mí se me ardía la sangre. Cuando nos sentábamos a comer no quería mirarla y ande quiea que volvía los ojos la estaba viendo elante de mí siempre. Y las noches, cuando más te tenía junto a mí, en medio del silencio de la casa, yo no sentía más que a ella, la sentía dormir como si estuviea respirando a mi oído. Y tengo llorao de coraje. Y le tengo pedío a Dios. Y me tengo dao de golpes. Y me hubiea matao y la hubiea matao a ella. Si yo no sabré decir como ha sío. Las pocas veces que no he podío por menos de encontrarme a solas con ella he tenío que escapar como un loco. Y no sabré decir lo que hubiea sío de no escapar,[25] si la hubiea dao de besos o la hubiea dao de puñaladas.

RAIMUNDA

Es que sin tú saberlo has estao como loco, y alguien tenía que morir de esa locura. ¡Si antes se hubiea casao, si tú no hubieas estorbao que se casase con Norberto!...

ESTEBAN

Si no era el casarse, era el salir de aquí. Era que yo no podía vivir sin sentirla junto a mí un día y otro. Que too aquel aborrecimiento suyo y aquel no mirarme a la cara, y aquel desprecio de mí que ha hecho siempre, too eso que tanto había de dolerme, lo necesitaba yo pa vivir como algo mío. ¡Ya lo sabes too! Y casi puede decirse que ahora es cuando yo me he dao cuenta. Que hasta ahora que me he confesao a ti, too me parecía que no había sío. Pero así ha sío, ha sío pa no perdonármelo nunca, aunque tú quisieas perdonarme.

RAIMUNDA

No está ya el mal en que yo te perdone o deje de perdonarte. A lo primero de saberlo, sí, no había castigo que me paeciera bastante pa ti. Ahora ya no sé. Si yo creyera[26] que eras tan malo pa haber tú querío hacer tanto mal como has hecho. Pero si has sío siempre tan bueno, si lo he visto yo, un día y otro, pa mí, pa esa hija misma, cuando viniste a esta casa y era ella una criatura, pa los criaos, pa toos los que a ti se llegaban, y tan trabajaor y tan de tu casa.[27] Y no se pué ser bueno tanto tiempo pa ser tan criminal en un día. Too esto ha sío, qué sé yo, miedo me da pensarlo. Mi madre, en gloria esté, nos lo decía muchas veces, y nos reíamos con ella, sin querer creernos de lo que nos decía. Pero ello es que a muchos les tié pronosticao cosas que después les han sucedío. Que los muertos no se van de con nosotros, cuando paece que se van pa siempre al llevarlos pa enterrar en el campo santo, que andan día y noche alrededor de los que han querío y de los que han odiao en vida. Y sin nosotros verlos, hablan con nosotros. Que de ahí proviene que muchas veces pensamos lo que no hubiéamos creído de haber pensao nunca.

ESTEBAN

¿Y tú crees?

RAIMUNDA

Que too esto ha sío pa castigarnos, que el padre de mi hija no me ha perdonao que yo hubiea dao otro padre a su hija. Que hay cosas que no puen explicarse en este mundo. Que un hombre bueno como tú, puea dejar de serlo. Porque tú has sío muy bueno.

ESTEBAN

Lo he sío siempre, lo he sío siempre y de oírtelo decir a ti, ¡qué consuelo y qué alegría tan grande!

RAIMUNDA

Calla, escucha. Me paece que ha entrao gente de la otra parte de la casa. A la cuenta será el padre de Norberto y los que vienen con él pa llevársele. No deben haber venío los de justicia, que hubiean entrao de esta parte. Voy a ver. Tú, anda allá dentro, a lavarte y mudarte de camisa, que no te vean así, que paeces ...

ESTEBAN

No te pares en decirlo. Un malhechor, ¿verdad?

RAIMUNDA

No, no, Esteban. ¿Pa qué atormentarnos más? Ahora lo que importa es acallar a toos los que hablan. Después ya pensaremos. Mandaré a la Acacia unos días con las monjas del Encinar que la quieren mucho y siempre están preguntando por ella. Y después escribiré a mi cuñada Eugenia, la de la Adrada, que siempre ha querío mucho a mi hija, y se la mandaré con ella.[28] ¿Y quién sabe? Allí pué casarse, que hay mozos de muy buenas familias y bien acomodás y ella es el mejor partío de por aquí y pué volver casada y luego tendrá hijos que nos llamarán abuelos y ya iremos pa viejos y entoavía pué haber alegría en esta casa. Si no fuea ...

ESTEBAN

¿Qué?

RAIMUNDA

Si no fuea ...

ESTEBAN

Sí. El muerto.

RAIMUNDA

Ese, que estará ya aquí siempre, entre nosotros.

ESTEBAN

Ties razón. Pa siempre. Too pué borrarse menos eso. (*Sale.*)

ESCENA X

RAIMUNDA Y LA ACACIA

RAIMUNDA

¡Acacia! ¿Estabas ahí, hija?

ACACIA

Ya lo ve usted. Aquí estaba. Ahí está el padre de Norberto, con sus criaos.

RAIMUNDA

¿Qué dice?

ACACIA

Paece más conforme. Como le ha visto tan mejorao... Esperan al forense que ha de venir a reconocerle. Ha ido al Sotillo a otra diligencia y luego vendrá.

RAIMUNDA

Pues vamos allá nosotras.

ACACIA

Es que antes quisiea yo hablar con usted, madre.

RAIMUNDA

¿Hablar tú? ¡Ya me tiés asustá! ¡Que hablas tan pocas veces! ¿Asunto de qué?

ACACIA

De que he entendío lo que tié usted determinao de hacer conmigo.

RAIMUNDA

¿Andabas a la escucha?

ACACIA

Nunca he tenido esa costumbre. Pero ponga usted que hoy he andao.[29] Es que me importaba lo que había usted de tratar con ese hombre. Quié decirse que en esta casa la que estorba soy yo. Que los que no tenemos culpa ninguna hemos de pagar por los que tién tanta. Y tóo pa quedarse usted tan ricamente con su marío. A él se lo perdona usted too, pero a mí, se me echa de esta casa, náa más que pa quedarse ustedes muy descansaos.

RAIMUNDA

¿Qué estás diciendo? ¿Quién pué echarte a ti de esta casa? ¿Quién ha tratao semejante cosa?

ACACIA

Usted sabrá lo que ha dicho. Que me llevará usted al convento del Encinar, y pué que quisiea usted encerrarme allí pa toa mi vida.

RAIMUNDA

No sé como pueas decir eso. ¿Pues no has sío tú muchas veces la que me tié dicho que te gustaría pasar allí algunos días con las monjas? ¿Y no he sío yo la que nunca te ha consentío, por miedo no quisieas quedarte allí? Y con la tía Eugenia ¿cuántas veces no me has pedío tú misma de dejarte ir con ella? Y ahora que se dispone en bien de tóos, en bien de esta casa, que es tuya y na más que tuya, y a tóos importa poder salir de ella con la frente muy alta ... ¿qué quisieas tú, que yo delatase al que has debío tú mirar como a un padre?

ACACIA

¿Si querrá usted decir, como la Juliana, que yo he tenío la culpa de todo?

RAIMUNDA

No digo náa. Lo que yo sé, es que él no ha podío mirarte como hija, porque tú no lo has sío nunca pa él.

ACACIA

¿Si habré sío yo la que se habrá ido a poner elante e sus ojos?[30] ¿Si habré sío yo la que habrá hecho matar a Faustino?

RAIMUNDA

¡Calla, hija, calla! ¡Si te entienden de allí!

ACACIA

Pues no se saldrá usted con la suya. Si usted quié salvar a ese hombre y callar tóo lo que aquí ha pasao, yo lo diré tóo a la justicia y a tóos. Yo no tengo que mirar más que por mi honra. No por la de quien no la tiene, ni la ha tenío nunca, porque es un criminal.

RAIMUNDA

¡Calla, hija, calla! ¡Frío me da de oírte! ¡Que tú le odies, cuando yo casi le he perdonao!

ACACIA

Sí, le odio, le he odiao siempre, y él también lo sabe. Y si no quiere verse delatao por mí, ya pué venir y matarme. ¡Si eso quisiea yo, que me matase! ¡Sí, que me mate, pa ver si de una vez dejaba usted de quererle!

RAIMUNDA

¡Calla, hija, calla!

ESCENA XI

DICHAS Y ESTEBAN

RAIMUNDA

¡Esteban!

ESTEBAN

¡Tié razón, tié razón! ¡No es ella la que tié que salir de esta casa! Pero yo no quiero que sea ella quien me entregue a la justicia. Me entregaré yo mismo. ¡Descuida! ¡Y antes de que puean entrar aquí, les saldré yo al encuentro! ¡Déjame tú, Raimunda! Te queda tu hija. Ya sé que tú me hubieas perdonao. ¡Ella no! ¡Ella me ha aborrecío siempre!

RAIMUNDA

No, Esteban. Esteban de mi alma.

ESTEBAN

Déjame, déjame, o llamo al padre de Norberto y se lo confieso tóo aquí mismo.

RAIMUNDA

Hija, ya lo ves. Y ha sío por ti. ¡Esteban, Esteban!

ACACIA

¡No le deje usted salir, madre!

RAIMUNDA

¡Ah!

ESTEBAN

¿Quiés ser tú quien me delate? ¿Por qué me has odiao tanto? ¡Si yo te hubiea oído tan siquiera una vez llamarme padre! ¡Si tú pudieas saber cómo te he querío yo siempre!

ACACIA

¡Madre, madre!

ESTEBAN

Malquerida habrás sío sin yo quererlo. Pero antes, ¡cómo te había yo querío!

RAIMUNDA

¿No le llamarás nunca padre, hija?

ESTEBAN

No me perdonará nunca.

RAIMUNDA

Sí, hija, abrázale. Que te oiga llamarle padre. Y hasta los muertos han de perdonarnos y han de alegrarse con nosotros!

ESTEBAN

¡Hija!

ACACIA

¡Esteban! ¡Dios mío, Esteban!

ESTEBAN

¡Ah!

RAIMUNDA

¿ Aún no le dices padre? ¡ Qué! ¿ Ha perdío el sentío? ¡ Ah! ¿ Boca con boca y tú abrazao con ella? ¡ Quita, aparta, que ahora veo por qué no querías llamarle padre! ¡ Que ahora veo que has sío tú quien ha tenío la culpa de tóo, maldecía!

ACACIA

Sí, sí. ¡ Máteme usted! Es verdad, es la verdad. ¡ Ha sío el único hombre a quien he querío!

ESTEBAN

¡ Ah!

RAIMUNDA

¿ Qué dice, qué dice? ¡ Te mato! ¡ Maldecía!

ESTEBAN

¡ No te acerques!

ACACIA

¡ Defiéndame usted!

ESTEBAN

¡ No te acerques te digo!

RAIMUNDA

¡ Ah! ¡ Así! ¡ Ya estáis descubiertos! ¡Más vale así! ¡ Ya no podrá pesar sobre mí una muerte! ¡ Que vengan toos! ¡ Aquí, acudir toa la gente! ¡ Prender al asesino! ¡ Y a esa mala mujer, que no es hija mía!

ACACIA

¡ Huya usted, huya usted!

ESTEBAN

¡ Contigo! ¡ Junto a ti siempre! ¡ Hasta el infierno! ¡ Si he de condenarme por haberte querío! ¡ Vamos los dos! ¡ Que nos den caza si puen entre esos riscos! ¡Pa quererte y pa guardarte, seré como las fieras, que no conocen padres ni hermanos!

RAIMUNDA

¡Aquí, aquí! ¡Ahí está el asesino! ¡Prenderle! ¡El asesino! (*Han llegado por diferentes puertas, el Rubio, Bernabé y la Juliana, y gente del pueblo.*)

ESTEBAN

¡Abrir paso, que no miraré náa!

RAIMUNDA

¡No saldrás! ¡Al asesino!

ESTEBAN

¡Abrir paso, digo!

RAIMUNDA

¡Cuando me haigas matao!

ESTEBAN

¡Pues así! (*Dispara la escopeta y hiere a Raimunda.*)

RAIMUNDA

¡Ah!

JULIANA

¡Jesús! ¡Raimunda! ¡Hija!

RUBIO

¿Qué ha hecho usted, qué ha hecho usted?

UNO

¡Matarle!

ESTEBAN

¡Matarme si queréis, no me defiendo!

BERNABÉ

¡No; entregarle vivo a la justicia!

JULIANA

¡Ese hombre ha sío, ese mal hombre! ¡Raimunda! ¡La ha matao! ¡Raimunda! ¿No me oyes?

RAIMUNDA

¡Sí, Juliana, sí! ¡No quisiea morir sin confesión! ¡Y me muero! ¡Mía cuánta sangre! ¡Pero no importa! ¡Ha sío por mi hija! ¡Mi hija!

JULIANA

¡Acacia! ¿Ande está?

ACACIA

¡Madre, madre!

RAIMUNDA

¡Ah! ¡Menos mal, que creí que aún fuea por él por quien llorases!

ACACIA

¡No, madre, no! ¡Usted es mi madre!

JULIANA

¡Se muere, se muere! ¡Raimunda, hija!

ACACIA

¡Madre, madre mía!

RAIMUNDA

¡Ese hombre ya no podrá nada contra ti! ¡Estás salva! ¡Bendita esta sangre que salva, como la sangre de Nuestro Señor!

Notes

ACT I

1 **la** The definite article is sometimes used in familiar style with a woman's given name.

2 **Pues va para . . . que lo contaba.** 'Well, she was so sick about a year ago that none of us thought that she would (live to) tell (the tale)' or 'that she would pull through.'

3 **está una tan metida en sí** 'one is so busy' or 'I am so busy.' The impersonal *uno* or *una* is often used colloquially as a first person, the gender depending on the speaker.

4 **me** pleonastic. The ethical dative, or a descriptive dative of interest, shows concern or interest taken in the matter by the person referred to. This is used much throughout the play. It is best not to translate it.

5 **buena es ella** 'she's a likely one'—i.e., it is not a year for weddings for her

6 **dar** The infinitive is often used as an imperative, especially in exclamations and short directions, and where the action becomes rapid and excited. This use of the infinitive is frequent throughout the play.

7 **como Dios la ha hecho** 'as God made her' or 'innocent as the day she was born'

8 **como es** = *como Dios la ha hecho*

9 **Callar** The infinitive is used for many forms of the verb. Here it is used as the third person singular of the present indicative, *calla*.

10 **pajaritas . . . la muchacha** '(he would pick) birds out of the air for her if the girl should ask him to'

11 **si no entran aquí unos pantalones** 'if a man hadn't come here.' The present indicative is used instead of the pluperfect subjunctive. This is common usage and is found elsewhere in the text.

12 **que** *Que* is used often merely as an introductory word, and may not be translated, or may be translated as 'for' or 'why' or 'but.'

13 **y** used in Castile in common speech as a connective, expletive, or intensifying word, taking the place of a pause or a comma. It is anticipatory of what is about to be said, or acts as a weak conjunction. It occurs many times throughout the play and is characteristic of the speech of the women. It is best not translated, or translated as a hesitating 'ah' 'uh' 'and a' 'well' or 'why.'

14 **él aún le tiene su idea** 'he still holds to his ideas about her' or 'he hasn't changed'

15 **que lo que hace . . . hemos dejao** 'for whatever she does is as she desires it, for we have allowed her to do exactly as she wishes'

16 **la de aquí** 'this one'—i.e., your daughter

17 **pero cualquiera . . . si una falta** 'no one does anything in that house if I'm not there.' See note 3.

18 **están esos . . . una perdición** 'those roads are in a terrible condition'

19 **quien tuvo . . . la vejez** 'he who has and keeps prepares for old age'

20 **ande las haya habío** '(in the days) when there were (good-looking girls)'

21 **Ya lo tenemos todo hablao.** 'Everything has already been said.' *Tener* is used with the past participle to form the perfect tenses, with the meaning "we have everything talked out already."

22 **¡Eso te creerás tú!** 'That's what you may think!' The fu-

ture is used to express probability in the present as the conditional expresses probability in the past. The reflexive pronoun here intensifies the verb.

23 **¡Anda ésta! ¡Qué gracias!** 'Come on now! What a way of thanking that is!'

24 **Y a la Julia** Supply *dígale.*

25 **Había que haber... el ganao.** 'It would have been necessary to hitch up the cart, and that Berrocales climb (hill) is very hard on the animals (horses).'

26 **Pues haberlo dejao pa mañana.** 'Why, you could have left it for tomorrow.'

27 **A ver po ande sales...** 'Let's see what you are up to now.'

28 **¡Poca devoción que ella le tiene!** 'How devoted she is to her (*la Virgen del Carmen*).'

29 **¡hubiera tenido que oír tu madre!** 'what would your mother have said!'

30 **¡Cualquiera sabe contigo!** 'No one can tell anything about you!'

31 **Súbete** 'Bring up.' The reflexive is used as a dative of interest. It intensifies the verb as many prepositions do in English.

32 **lo friegas... y lo pones** 'scour it (until it is) well scoured (clean), and put it.' The indicative is often used as the imperative.

33 **se me ha ido el día** 'the day slipped away from me'—the ethical dative. See in the same speech *que se me murió* 'who died (on me).'

34 **que las ves tan preciosas de propias** 'which will seem so lovely and natural'

35 **con la ley... todos lo saben** 'the bread I've eaten in this house (I have) always justly and honorably (earned), in the sight of God and of the world, as everyone knows'

36 **la dejabas** 'you would be leaving her.' The imperfect is often used in place of the conditional.

37 **no vuelve a casarse** 'had not married again.' The present is used in colloquial speech sometimes in place of the pluperfect subjunctive.

38 **Con la horca . . . haiga sío.** 'The gallows is too good for the one who did it.' Literally, 'He who has been the one with hanging cannot pay.'

39 **El corazón y dicen que le ha partío.** 'They say (the shot) went right through his heart.'

ACT II

1 **cualquier día . . . hacen una sonada** 'some day they will come and make trouble.' The present is used as an emphatic future.

2 **El que a nada malo va** 'He who does no evil'—i.e., he who minds his own business

3 **de no haber sido él** 'if it wasn't he'

4 **que está de . . . parte que** 'that for some time around here'

5 **Sí que está la casa en república** 'Everybody has been acting as he pleased in this house'

6 **quien se pica ajos come** 'if the shoe fits, wear it'—literally, 'the one whose tongue is burning has been eating garlic'

7 **todos son a . . . todos conmigo** 'everyone is taking it out on someone, and everybody is taking it out on me'

8 **¡Si ella no cose!** 'If she didn't sew (what would I do?)!'

9 **¡Lo que somos las madres!** 'What we mothers have to put up with!'

10 **Esa se me va etrás de su hijo** 'She will go in the same way the boy did'

11 **se las tié que pagar** 'will have him to reckon with'

12 **¡ . . . aunque sea . . . la rastra!** 'and, if possible, drag (what is left of) him back here to us!'

13 **¿deja de ser... que lo haga?** 'is the one who did it innocent because he may have hired another to do it?'

14 **pa una cosa así** 'who would have reason to do such a thing'

15 **Si mis tierras... mal abrigo.** 'Why, my fields have come to look like barren lands.'

16 **usted pensará... se acuerde** 'you may think that it is not worth anyone's remembering'

17 **si a ver fuéramos** 'if we should consider it well'

18 **nadie más que nosotros** = *nosotros más que nadie*

19 **bien y que os agradecen** 'how grateful they are to you for'

20 **Pero una también es madre** 'But I am a mother.' See note 3, Act I.

21 **Por mí, dejá está.** 'As far as I'm concerned, it's through.' I.e., I have had my say, that's all I'm going to say.

22 **Sin tenerle... con ellos...** 'Without even having anything on you, they know how to take advantage of you. Tell me, (what would it be like) if one of them had something on you?'

23 **como al volver... historias...** 'for when Norberto came back there would be lots of talk'

24 **que no me vayan a hacer alguna** 'don't let them do anything (bad).' See note 4, Act I.

25 **pa que hicieran... yo de verme** 'I would have to be in a bad fix for them to do anything when I'm around'

26 **que me ha entrao... largo delante** 'such a loathing has come over me that I'd like to start running straight up that long road'

27 **y más vale... visto todos** 'it is better (that she is dead) than for her to have to see me in the way that everyone has seen me'

28 **¡... si no puedo... toda la vida!** The present is used here in place of the pluperfect. Change the tenses of the verbs to read: *si yo no hubiera podido probar, como pude probarlo, lo*

que había hecho todo aquel día; si como lo había pensado, hubiera cogido la escopeta y hubiera ido yo solo a tirar unos tiros, y no hubiera podido dar razón de donde estuve, porque nadie me había visto, ¡me hubieran echado a un presidio para toda la vida!

29 **juntos han hecho siempre bueno y malo** 'whatever they've done, good or bad, they've done together'

30 **El que . . . la Malquerida.**

'The one who loves the Soto maid
Is by life's woes enthralled.
Because of the one who loves her,
The Misbeloved she's called.'

31 **ya no había . . . como a mí** 'they couldn't give him the same reasons they gave me'

32 **¡Que no sirve . . . pa no verlo!** 'Why, one would have to be blind not to see it!'

33 **¡quién pudiea seguir tan ciega!** 'how could I be so blind!'

34 **que ni eso . . . cara a cara** 'for you are not man enough by yourself to do that openly'

ACT III

1 **Sí que es . . . de este mundo.** 'Why, it is enough to make one believe no longer in anything in this world.'

2 **pero lo que . . . por la Acacia** 'but as for this improper love for Acacia which has gotten into him'

3 **era mucho . . . por sentío** 'he gave her lots of presents, and no one objected'

4 **Y mía tú . . . digo otra.** 'And look here! As long as I have said this much, I might as well say the rest.'

5 **y** See note 13, Act I.

6 **y que no había . . . sío algo más** 'that it shouldn't have been so small a thing, for now that they have wounded him, it should

have been more serious' or 'they should have wounded him more seriously, for, if he had to be hurt at all, it should have been very seriously'

7 **lo que han . . . había habío** 'what tale they have started through the village about what has been going on here'

8 **no están . . . no ha sío** 'as things stand, no one should be thinking what isn't so'

9 **Que sepamos.** 'Not that we know of.'

10 **¿ . . . no es pa . . . con ello?** 'is not a thing to be talked about by anybody when nothing is to be gained by it?'

11 **allá ca uno** 'let everyone tend to his own business'

12 **¿Que yo . . . a ese hombre?** 'Do you mean to tell me that I ever loved that man?'

13 **¡Qué voy a decirle!** 'Of course I'll not tell her!'

14 **eso de andar huíos y no dar la cara** 'this running away and not facing it'

15 **no podía usted . . . declarao** 'you couldn't have made her swear it'

16 **veríamos si . . . así como así** 'we would have seen that the police wouldn't have let him go as they did'

17 **que tóo el mal está de esa parte** 'which places all the blame here'

18 **que no supiean . . . había matao** 'as long as they didn't know why he was killed, (tell me) how they were going to find out who killed him'

19 **el cómo se acordó . . . voy a decirlo** 'how the agreement was reached you already know; why should I repeat it?'

20 **tener yo mando** 'to have power' or 'to be my own boss'

21 **que no hay hombre sin hombre** 'for a man by himself can do nothing'

22 **no podría . . . llevarme** 'I couldn't even pull myself away'

23 **como si . . . fuera** 'like something rotten that had been thrown out'

24 **entrarme** = *me entraron*

25 **de no escapar** 'if I had not run away'

26 **Si yo creyera** 'Why, I couldn't believe'

27 **tan de tu casa** 'so much a part of your house'

28 **con ella** = *vivir con ella*

29 **Pero ponga usted que hoy he andao.** 'But let us admit that today I have been (eavesdropping).'

30 **¿Si habré sío . . . e sus ojos?** '(Do you mean to say) that I was the one who threw myself at him?'

Vocabulary

a to, at, on, by, from, for, of
abajo under, below, downstairs; **de —** lower
aborrecer to hate, abhor; **aborrecido** hated, hateful
aborrecimiento hatred, hate
aborrecío = aborrecido
abrazao = abrazado
abrazar to embrace, hug; **abrazado con** embracing
abrigo shelter; **de mal —** unprotected
abrir to open; **¡—!** out of my way! **— paso** to make way
abuelos grandparents
abur adieu, good-by
aburrido bored, worn out
abusar to go too far, take undue advantage
acá here; **por —** around here, here
acabao = acabado
acabar to end, be through; **— con** to finish, be done with; **— de** to finish; **acabado** finished, over with, worn out
acallar to quiet, silence
acariciar to caress
accidentado excited, nervous
acción action, way
acecho: al — in wait, silently
acelerao = acelerado in a hurry
acelerarse to make haste, be in a hurry
acercarse to approach, come near to
acidentao = accidentado
aclarao = aclarado
aclarar to clear up
acobardao = acobardado faint, frightened; **con lo — que estaba** when I was so afraid
acobardar to frighten
acomodar to accommodate, put up, take care of
acomodás = acomodadas; bien — well-to-do
acompañar to accompany
aconsejao = aconsejado
aconsejar to advise
acordao = acordado
acordar to decide, agree upon; **—se de** to remember, think of
acorde: estar —s *or* **ponerse —s** to agree, come to an understanding
acortar to shorten
acosao = acosado
acosar to pursue relentlessly
acostar(se) to go to bed
acto act
actor actor
acudío = acudido
acudir to come, come up, come in, arrive, appear, go to give help
acuerdo resolution, opinion, advice

acusar to accuse
achacar to impute, blame; **—se** to take the blame for
achispao = **achispado** tipsy
achisparse to get tipsy
adelantar to advance, set ahead
adelante in front, ahead
aderezo finery, present
adiós good-by
adivinao = **adivinado**
adivinar to divine, guess, suspect
adonde where; **de —** why
adormilao = **adormilado** drowsy
adormilarse to doze, drowse
aelante = **adelante**
afirmar to affirm, make sure
afligir to worry, trouble; **—se** to grieve, break down
agazapao = **agazapado** hiding, crouching
agazaparse to hide oneself, crouch
agolparse to crowd, go wrong
agradecer to acknowledge a favor, thank for; **¡se agradece!** thanks!
agua water; **las —s** the rains
aguantar to endure, stand
aguardar (a) to wait for, lie in wait for
ahí here, there; **por —** in that direction
ahora now; **— mismo** right now
ahorrao = **ahorrado**
ahorrar to save
aire air, appearance; **al —** in the air
ajo garlic; **—s** garlic; "shady dealings"
albedrío wit; **a mi —** as I please
alcalde mayor, justice of the peace
aleccionar to instruct, drill
alegrao = **alegrado**
alegrarse to rejoice, be glad
alegría joy, happiness
alforja saddlebag
algazara noise, chatter
algo somewhat, something; **— mío** "a part of me"
alguien someone
algún, alguno some; someone; **alguna** = **alguna cosa**
alimaña animal, wild beast
alma soul; **de mi —** darling; **una mala —** a rogue
almohada pillow
almorzar to eat lunch
alrededor de around
alto high
altonazo hill, knoll
allá there, here; **de —** back there; **— él** "he's there (all alone)"; **para —** over there; **— tú** that's all right, as you say; **— voy** I'm coming
allí there; **por —** in that direction, around there
ama mistress
amanecer to dawn
amanecío = **amanecido**
amenazá = **amenazada** threatened, in danger
amenazar to threaten
amigo friend, friendly; **ser muy — de** to be a great friend of; **los más —s** the best friends
amo master
amor love
amparo aid, shelter, refuge
andao = **andado**
andar to walk, go, go about, go around, circulate, spread, come, come on, be; to be bantered

about; — **a la escucha** to eavesdrop; — **a unas cosas y otras** to be busy with other things; — **con** to take, carry; — **desatinado** to go around like a simpleton; — **en boca** to go from mouth to mouth; — **en dichos** to be bantered about; — **huídos** to run away; — **por** to gad about; — **sobre** to run after, go in pursuit of; — **tras** to follow, run after; **¡anda!** good gracious! come on now! **¡anda con Dios!** God bless you (him)! **¡anda la otra!** there's the other one starting! **cómo anda de la vista** how her sight is; **¿qué anda por el pueblo?** what's the gossip in town? **—se** to go on, get on; **—se por** to be about

ande = donde where, wherever, then, how; **de —** the place from which, from where, how; **por —** where, how; **— quiera** wherever I wish, wherever, anywhere; **de — quiera** from wherever; **siempre — tú fueras** wherever you go

anduviea = anduviera

angarillas hand cart, stretcher

angustia anguish, pang

ánimas: la noche de — Halloween

ansiedad anxiety

ante before

antes before, before now, first, formerly, sooner, rather, on the other hand; **— de** rather than; **— de que** before; **— que** rather than

antiguo: de — a long time ago

año year; **—s** age

aónde = adónde; de — why

apañarse to be skillful, get along

aparente apparent, showy

apartar to separate

apenas scarcely; **— si** as soon as, no sooner than

aplanar to smooth, terrify, overwhelm

aplicarse to apply oneself, try

apostao = apostado lying in wait

apostar to post, lie in wait

aprender to learn; **lo tengo aprendido** I have learned it

aprendío = aprendido

apretar to tighten, urge; **— con** to insist, demand; **— los puños** to double up one's fists

aprisa fast

aquel, aquella that

aquél, aquélla that one, that, the former

aquí here; **de por —** around here

arañao = arañado

arañar to scratch

arder to burn, catch fire; **—se** to burn down, "boil"

arma weapon

arrancar to pull out

arrear to drive, hit; **— con** to stop; **— un estacazo** to beat up

arroyo stream, brook

arruinar to ruin

asesinao = asesinado

asesinar to murder

asesino murderer, assassin

así so, thus, such, that way, this way, just that way, just like her, even though; **— como —** anyhow, just like that, easily;

— **es** so it is, certainly; — **fuera** even if it should be; **es que** — so it is, yes; **una cosa** — such a thing; **un día** — a day like this
asistir to assist, help, serve
asomarse to look out of
asunto subject, matter
asustá = **asustada**
asustadizo easily frightened, scary
asustar to frighten; —**se** to become frightened
atao = **atado**
atar to tie
atender to pay attention to, wait; — **a razones** to be reasonable
atolandrarse to become confused
atormentar to torment, worry
atreverse: — **a** to dare; — **con** to be insolent to, bully, not to be afraid of
atrevío = **atrevido**
aun, aún still, yet, as yet
aunque although; — **sea** if possible, if necessary
avasallar to enslave, lord it over
avenirse to agree, compromise
averiguación investigation
averiguar(se) to find out; to advise, give notice, tell
avisar to give notice, advise, tell
aviso information; **dar** — to notify, tell
avistarse to have an interview
¡ay! oh! ah!
ayer yesterday

bailar to dance; to give
bajar to lower, go down
bajo low, under
bando band, group
barajar to shuffle, jumble together, mix
barrer to sweep
bastante enough, many
bastar(se) to be enough, suffice; — **con** to be enough
beber to drink
bebío = **bedido** drunk
bendecío = **bendecido**
bendecir to bless; **bendecido** blessed
bendito blessed, blessed be; **¡— Dios!** *or* **¡— sea Dios!** thank God!
Berrocales, los "the craggy *or* rocky place"
beso kiss; **dar de —s** to kiss
bien well, good, right; very; indeed; lawfully; — **que** although; **en** — **de** for the good of; **más** — better; **querer** — to love very much, love rightly
billete bill, bank note
bizcochito small biscuit, cake, cookie
bizcocho cake
boca mouth; **andar en** — to be talked about; **callar la** — to shut up; — **con** — mouth to mouth
boda wedding; **está el año de —s** it is the year for marriages
bordao = **bordado**
bordar to embroider
borrar to erase, "forget"
borrón blot, shame
botica drugstore
bracero: de — arm in arm
bramar to howl, groan
bramío = **bramido** howl, roar
brazo arm

breña bramble
broma joke, foolishness
bruto beast, ignoramus; **¡serán de —s!** what fools!
bueno good, well, sober, all right; **— está** all right, yes; **ser — con** *or* **ser — para** to be good to; **a las buenas** willingly
bullicio bustle, noise
buscar to look for, seek, investigate

ca = cada each, every
cá = acá here
cabal just, exact; **no estás en tus —es** you are not sober
caballería mount, horse
caballo horse
caber to be room for; **no me cabe en la cabeza** I can't believe it
cabeza head
cabo: al — at last; **al — de** after; **al fin y al —** finally, after all
cabrero goatherd
cada each, every
caena = cadena chain
caer to fall; **— en gracia** to please, suit; **— en la cuenta (de)** to realize; **— mal** to agree badly with; **— redondo** to tumble; **cayendo y levantando** up and down; **—se** to fall, lose
caío = caído
caja box
cajón drawer; **— de abajo** the lower drawer
calamidad calamity; **todo son —es** "there is nothing but trouble"
calláa = callada
callao = callado
callar to keep silent, become silent, keep quiet about; to silence, hush; **— la boca** to shut up, keep quiet; **callado** silent, quiet
calle street
cambiar to change
camino road, way; **andar el —** to be on the road; **salir al —** to come out on the road; **va —** he is on the road
camisa shirt
campo country, fields; **— santo** cemetery
cansado tired; **ser —** to be worn out
cansarse to wear oneself out
cantar to sing
cántaro large pitcher
cantazo stoning; **matar a —s** to stone to death
capaz capable
cara face; **dar la —** to face; **en su —** right before him
¡caray! = ¡caramba! heavens! Lord!
cárcel prison
cargo: hacerse — (de) to take care of, bear in mind, realize; **hacer —s a** to charge with, blame
cariño affection, love; **el — del mundo** all the love in the world; **tomar —** to show affection
carta letter
carro cart
carroña carrion; **una —** something rotten
casa house, "family"; **— de labor** farmhouse; **en —** at home

casao = **casado**
casar to marry; **—se** to marry, get married; **—se con** to marry
casi almost
caso case, attention; **hacer —** (**de** *or* **a**) to pay attention (to); **no fuera — que** *or* **no sea — que** for fear that; **por ningún —** on no account, for any reason; **si es —** if it is necessary
casta caste, kind, breed
castigar to punish, avenge; punishment
castigo punishment, torture
causa cause, sake
caza hunting, game; **dar —** to hunt for, hunt down; **salir de —** to go hunting
cazar to hunt, hunt down, catch
celos jealousy
cena supper
cenao = **cenado**
cenar to eat supper; **dar de —** to give supper to
cerca near; **— de** near
cerilla wax taper, wax match
cerrado obscure; **noche cerrada** black night
cerrao = **cerrado**
cerrar to close
cerro hill, mountain
cesto basket
ciego blind; **estar — por** to be mad about, "be blindly in love with"
cielo heaven
cierto certain, sure; **por —** *or* **por — que** of course; **tan — como** *or* **tan — que** as sure as, as certain as, "I am sure that"
cigarro cigar
cinco five; **las —** five o'clock
claro clear; daylight; **— está que no** of course not
clavar to nail, fix, stab; **clavado** fixed
cobarde coward
codo elbow
cogedor dustpan
coger to catch, get, pick, pick off, take, start out; **cogió** "he up and left"
colcha quilt
colgá = **colgada**
colgar to hang up; **colgado de** hanging around
comer to eat; food, living; **— con los ojos** to stare at, devour with one's eyes
cómica actress
comío = **comido**
como as, like, as if, just like, as much as, since, why, while, when, sort of, somewhat, how, "just as if"; **— que** but, why, for, of course, as if; **— si** as if; **— un** a sort of
¿cómo? how? **¿ — va?** how are you? how is everything? **el —** the way, the manner
cómoda chest of drawers
comparación comparison
comprao = **comprado**
comprar to buy, hire
comprometer to compromise
compromiso promise
comunicao = **comunicado**
comunicar to communicate, tell
con by, with, toward; **de —** from, from among; **— que** and so
concertao = **concertado**

concertar to arrange, suit, satisfy; **—se** to agree
conciencia conscience
concluío = concluido finished, over
concluir to conclude, quit, break off; **— de** to finish, "completely"
condenarse to be damned
confabulao = confabulado
confabularse to enter into conspiracy, conspire
confesao = confesado
confesar to confess; **—se** to make confession
confesión confession
confianza confidence
confiar to trust, feel sure; **—se de** to confide in
conformarse to agree, be satisfied
conforme resigned, reasonable
confundirse to become rattled, get mixed up
conmigo with me
conocer to know, recognize; **no me conozco** "I am not the same person"
conocido known, well known
conocimiento knowledge; **sin —** unconscious
consentido spoiled
consentidor, consentidora spoiled; **ser —** to consent, not be innocent, encourage
consentío = consentido
consentiora = consentidora
consentir to consent, agree, allow, permit, spoil; **—se** to agree; **—sela** to put up with it
consigo with himself
consuelo consolation
consumirse to become exhausted
contao = contado
contar to tell, count
contentar to content, satisfy; **—se** to be content
contento contented, happy, satisfied
contestar to answer
contigo with you
contorno neighborhood
contra against; **en — de** against; **en — suya** against them (him)
contrario contrary; **al —** on the contrary, just the opposite; **los —s** "other people"
convencer to convince
convencío = convencido
convento convent
conversación conversation
conversar to converse, talk
convidao = convidado
convidar to invite
copa glass
copita small glass (of wine)
copla couplet, verse, song, ditty
coraje: de — in anger, in anguish
corazón heart
corralón large corral
correr to run, flow, publish; **—se** "to slip"
corrillo: en —s in groups
cortejar to go with, court
corto short, dull, stupid, backward
cosa thing, matter, question, account, business; **— ninguna** nothing; **una — así** such a thing; **una — tratada** a thing understood; **no es — de** it is not proper (best) to; **—s** business, affairs, stories, tales, lies

coser to sew
cosilla small thing
costumbre custom, habit
crecer to grow
crecío = crecido
creer to believe, think; **estar creído** to think, be of the opinion; **no lo creas** "of course not"; **—se** to make oneself believe, get the notion; **—se de** to believe in, believe, take the word of
creío = creído
criado servant
criao = criado; **criaos = criados**
criar to rear
criatura child
criminal criminal
cristal crystal
cruz cross
cruzao = cruzado
cruzarse con to pass, meet
cualquier, cualquiera some, any; **cualquiera** anyone, whoever, anything whatsoever
cuando when, if
¿cuándo? when?
cuantito: en — que just as soon as
cuanto how much; **— más ... más** the more ... the more; **en —** as soon as; **en unos —s días** for a few days; **cuantas veces** many times, as many times
¿cuánto? how much? **¿—s?** how many?
cuarto quarter; **dos —s de lo mismo** "just like him"
cuatro four
cucharetear to stir up, "meddle in other people's business"
cuchillo knife
cuello neck
cuenta account; **a la —** on account, it looks like, evidently, apparently; **caer en la — de** to realize; **darse —** to realize, know; **hacer —** to figure it up, realize; **hacer — de** to remember; **más de la —** more than necessary, too much; **hazte —** "figure it out for yourself"
cuento story, tale
cueva cave
cuidado care, attention, worry; **¡—!** be careful! **— con** be careful with, don't; **estar al —** to be taken care of; **me daba — de** "was I afraid to"; **me das —** you worry me; **pasar —** to worry; **ser de —** to be serious; **para más —s** "the more worries"
cuidao = cuidado; **cuidaos = cuidados**
cuidar to care for, look after
culpa guilt, fault, blame; **sin —** innocent; **tener —** to be at fault, be guilty, be to blame
cumplío = cumplido full, complete, satisfied, cheerful
cumplir to fulfill an obligation
cuñada sister-in-law
cura priest
curao = curado cured, well
curarse to get well
custodia monstrance, shrine

chequetico little fellow
chico little, small; child, boy; **chica** girl
chinero china closet

daño harm
dao = **dado**
dar to give, strike, "pay"; **— a** to open on; **— a entender** to insinuate; **— aviso** to notify, tell; **— caza** to hunt down; **— con** to find, strike; **— de besos** to kiss; **— de cenar** to give something to eat; **— de golpes** to beat, scourge; **— de puñaladas** to stab; **— gracias** to thank; **¡— gracias a Dios!** thank God! **— huídos** to run away; **— lumbre** to light; **— miedo** to frighten; **— muerte a** to kill; **— muchas expresiones** to give sincere regards; **— razón de** to account for; **le da lo mismo** it is all the same to her; **me da no sé qué** "it makes me feel I don't know what"; **—se cuenta** to realize, know; **—se por** to consider oneself, be; **—se por sentido** to show resentment
de of, for, at, about, regarding, with, by, upon, in, belonging to, a part of, as for; **— con** from, from among; **— por** around
debajo under
deber to owe, owe for, ought, must; **— de** must, ought; **debe de ser** it should be; **como es debido** as it should be; **has debido ir** you should have gone
debío = **debido**
decir to say, tell, speak, show, think, mean, call; **es —** that is to say; **me lo decían** they told me so; **quiere decirse** that means, perhaps; **diga usted** you might as well say, you know, you mean; **no digas** *or* **no se diga** *or* **que lo diga usted** "God forbid!" "undoubtedly," "there's no need to say it"; **dice bien** she is right; **no dicen bien** they are wrong; **tú dirás** say it, what? what do you wish? you know, "it's up to you"; **luego dirás** and then you mean to say
declaración statement, deposition
declarao = **declarado**
declarar to declare, swear, testify, bring charges, take sides; **—se** to admit, confess
decoración setting, scenery
dedo finger
defender to defend, protect
dejá = **dejada**; **dejao** = **dejado**
dejar to leave, let, allow, permit, stop, quit, turn down; **— de** to stop, quit, leave off, fail, cease to; **no puede — de** cannot help but; **— plantado** to break off with, jilt; **—se estar** not at all, don't insist; **dejado de la mano de Dios** "beyond God's mercy"; **se han dejado decir** "they have said"; **déjate** don't bother, stop, don't bother me; **déjate estar** don't bother
dél = **de él**
delante in front; **— de** in front of; **— los ojos** "right before his eyes"; **de —** from in front
delatao = **delatado**
delatar to denounce
deliberar to deliberate on, decide
delicado delicate
delito crime

demás other; **los —** the rest, the others; **por lo —** as for the rest
demasiado too, too much, more
demasiao = **demasiado**
demoniá = **demoniada** bewitched, filled with the devil
demonio devil
demostración demonstration
denguna = **ninguna**
dentro inside, within
denuncia accusation; **poner las —s de** to sue for
derecha: a la — on the right
desapartar (*barbarism for* **apartar**) to separate
desasosiego uneasiness
desatinao = **desatinado** foolish; **andar — tras de** "to follow around like a simpleton"
desazón insipidness, loathing
descalzo barefoot
descaminado ill advised, mistaken; **ir —** to be wrong
descansaos = **descansados** at ease, contented
descansar to rest
descoserse "to begin to talk"
descubierto found out, exposed
descubrir to reveal, find out; **—se** to give oneself away
descuidá = **descuidada; descuidao** = **descuidado** careless, free, freely; **ir descuidada** to go freely; **¡está descuidado!** *or* **¡vaya descuidada!** don't worry!
descuidar(se) to be neglectful of duty; **¡descuida!** don't worry!
desde from, since
deseandito very anxious
desesperado desperate, furious, mad; **tenerse —** to go through, endure
desesperao = **desesperado**
desesperar to discourage, get rid of
desgracia misfortune, sorrow, shame; **¡qué —!** how terrible!
deshonra dishonor, disgrace
deshora inconvenient time; **a —** at a bad hour
desnudarse to undress
despedida leavetaking
despedir to dismiss, get rid of, escort to the door; **—se (de)** to say good-by (to), bid farewell (to), leave, take leave (of)
despegá de = **despegada de** unpleasant to, distant toward, not affectionate toward
despertao = **despertado**
despertar to awaken; **—se** to wake up
despreciar to slight, show disrespect for
desprecio scorn, contempt; **hacer —** to show contempt for
después later, afterward, after a while, then; **— de** after, next to; **— que** since
detrás de behind, after; **venir —** to follow
destrozo destruction, damage
detener(se) to stop
determinao = **determinado**
determinar to determine, decide
devoción devotion
día day; **de —** in the daytime; **el — de hoy** today; **otro —** another day, some day; **todo el —** all day long; **un — y otro**

every day, all the time; **un — es un —** "you've done enough for today"; **en estos —s** during these days; **todos los —s** every day
diciembre December
dichas *or* **dichos** the same persons
dichos jokes, rhymes; **andar en —** to be bantered about
diente tooth; **rezar entre —s** to mumble prayers
diez ten
diferente different
difunto corpse
diligencia affair; **a otra —** on other business
dinero money
Dios God; **¡— lo haga!** God grant it! **¡— mío!** my God! **¡con —!** *or* **¡vaya usted con —!** God be with you! **¡bendito —!** God help me!
disculpa excuse
disculpar to excuse
disfrutao = disfrutado
disfrutar de to have, enjoy, touch
disgustarse to get angry
disgusto disgust, displeasure, trouble, quarrel; **tener —** to have something go wrong
disparar to discharge, shoot
disparo shot
disponer to arrange
disputar to dispute, argue
dividío = dividido
dividir to divide
doler to pain, hurt
domingo Sunday
don, doña *title used before given name*
donde where
¿dónde? where?
dondequiera anywhere
dormío = dormido
dormir to sleep; **—la** to sleep it off
dos two
drama drama
dudar to doubt
dulces candy, sweets
durao = durado
durar to last
duro dollar (*worth five pesetas*)

e = de
¡ea! come on! there!
ebajo = debajo
echar to throw, throw out, turn, start, put; **— a** to start; **— a la cara** to throw in one's face; **—se** to put on; **—se a** to start; **—se de** to turn out; **—se la escopeta a la cara** to raise one's gun to fire
ecía = decía
ecir = decir
¡eh! what!
el the; **— que** the one who, who; **al que** the one (to) whom, who, whom; **— de la Eudosia** Eudosia's husband; **los de** the people from (of); **los del tío Eusebio** Eusebio's boys; **los de Valderrobles** the Valderrobles boys
elante = delante
elección election
elegir to choose
ella she, it
ello it; **— es** the fact is

emborracharse to get drunk
empellón shove; **a —es** by rough pushing; **sacar a —es** to kick out
empeñarse to persist
empeño pledge, influence
empeorarse to grow worse
emperrao = **emperrado** stubborn, angry
emperrarse to be stubborn, insist
empezar to begin, start
en in, from
enamorao = **enamorado** in love; **— de** in love with
enamorar to make love to
encargao = **encargado; te dejo —** "I warn you"
encargar to advise, warn
encargo charge, errand, task
encelado con jealous of
encendedor (cigarette) lighter
encender to light, light up
encerrar to lock up, shut up
encima on, on top of; **llevar —** to have on, wear; **quitarse de —** to throw off
Encinar "Oak Grove"
encoger to contract; **—nos el corazón** to touch our hearts
encomendar to commend
encontrao = **encontrado**
encontrar to find; **—se** to meet; **—se con** to meet, find oneself, be
encubridor concealer
encubrir to hide, cover up
encuentro encounter; **salir al —** to meet, catch, fall upon, go out to meet
ende when, as, since, from, therefore, indeed; **— aquí** from here; **— que** since, ever since
endemoniá = **endemoniada** possessed with the devil, perverse
enemigo enemy
enfadarse to become angry
engañar to deceive
enreaora = **enredadora** tattler, busybody
ensalada salad
enseñar to show, teach
entavía = **todavía**
entender to understand, hear; **dar a —** to insinuate; **—se** to agree, come to an understanding
entendío = **entendido**
enterarse to find out
enterrar to bury
entoavía = **todavía**
entonces then
entraña entrail, heart; **con tan mala —** with so much evil in his heart; **tener mala —** to be wicked; **hija de mis —s** my darling daughter
entrao = **entrado**
entrar to enter; **me entró** "I felt"; **—se** to enter, come in
entre between, among, within
entregar to deliver, give, hand over
entretener to entertain; **—se** to have a good time; **entretenido** busy
entristecido sad
entristecío = **entristecido**
envidia envy, jealousy
envolver to implicate, "insult"
equivocao = **equivocado** mistaken, wrong

ésa that; that thing, that girl; **— es otra** that's another thing; **— es la mía** that's the way with me
escapar to escape, run away
escapulario scapular (*a loose, sleeveless monastic garment; a token of devotion*)
escena scene, stage
esclavo slave
escoba broom
escoger to choose
esconder(se) to hide; **ver de —** to look for a place to hide
escondido: lo más — the most hidden parts
escondío = escondido
escopeta gun
escribir to write
escucha: andar a la — to eavesdrop
escuchar to listen, hear
ese, esa that
ése that, that one, the former; **ésos** those fellows
eso that; **— de** that business of, such a thing as; **— mismo** that's it; **— sí** that's it, that's right, yes indeed; **a —** *or* **por —** for that reason
espantar to frighten, drive away; **no es para —se** that isn't anything to get excited about
esperar to hope, expect, wait, wait for, meet
espina thorn
espolique footman, stable boy
esposo husband
estacazo blow with a stick; **arrear un —** to beat up
estao = estado
estar to be, act; **— a** to be about to; **— de** to be in favor of, be about to; **— de vuelta** to be back; **— en** to understand, take care of; **— malo** to be sick; **— para** to be in a mood for, be able to; **esté en gloria** God bless him (her)! **lo que estoy** the trouble with me; **—se** to be, remain
este, esta this
éste, ésta this, this one, the latter
esto this; **— de ahora** this affair
estorbao = estorbado
estorbar to hinder, prevent, be in the way
estrella star
estrenar to present (a play) for the first time
estuviea = estuviera; estuviean = estuvieran
etrás = detrás behind, after
explicación explanation
explicar to explain
expresión expression; **—es** sympathy, regrets; **dar muchas —es** to give sincere regards
extraño strange; stranger

fácil easy
falda skirt
falta failing
faltar (a) to lack, be lacking, fail, be wanting, miss; **— de** to lack; **a nadie nos falta** we all have; **nada nos falta** we need nothing; **¡no faltaba otra cosa!** the idea! nonsense!
familia family; **ser de la —** to be one of the family
favor favor

fiel: de — faithful
fiera wild beast
fiesta feast, fiesta
figurarse to imagine; **figúrate** just imagine
fijo fixed, firm; **— a los ojos** right in the eye
fin end; **al —** after all; **al — y al cabo** finally, after all; **sin —** no end, great number
fino fine, pure
flor flower
forastero stranger
forense legal examiner, prosecutor
foro background; **al —** in the rear
Francia France
fregao = **fregado**
fregar to scour
frente forehead, head
frío cold; **— me da** it makes me cold
fuea = **fuera; fueamos, fuéamos** = **fuéramos**
fuego fire
fuera without, outside, away; **— de casa** outside; **tirar —** to throw away
fuerte strong; "rich"; **hacerse —** to act boldly, do as one wishes
fuerza strength
fumar to smoke

gana desire; **dar —s de** to make one feel like; **me entran —s de** I feel like
ganado cattle
ganao = **ganado**
ganar to gain
garrote club
gente people; **la —** everybody; **la demás —** everybody else
gloria glory, joy; **en — esté** *or* **que esté en —** God bless him (her)! "I hope they are in heaven"; **por la — de** in the name of
gobernar to govern, manage, run
golosono: de — overfond of sweets
golpe blow, shot; **a —s** with blows; **cerrar de —** to slam; **dar de —s** to beat, scourge; **— de sangre** a rush of blood
gracia grace, kindness, favor, comfort; **caer en —** to please, suit; **—s** thanks; **dar —s** to give thanks, thank; **¡dar —s a Dios!** thank God! **¡—s!** thanks! **¡muchas —s!** many thanks!
grande big
gritar to scream
guapetón daring, bold, "lovely"
guardao = **guardado**
guardar to keep, protect, hide, lay up; **—se** to take care of oneself, "guard one's honor"
gustao = **gustado**
gustar: le gusta he likes
gusto taste, liking, desire, pleasure; **a —** satisfactory, satisfactorily; **a — suyo** to her own liking, in her own way; **a tu —** *or* **a — tuyo** to your liking

haber to have; **he de** I am going to; **ha de** is to, must, have to, will, should; **hemos de** we

must, we are to; **había de** you should, would I; **habían de matarlo** they should have killed him; **había de ser** it should be; **habían de haber sido** they should have been; **hay** there is; **¿qué hay?** what's the matter? what? **hay que** it is necessary to, one should; **no hay más que** there is only; **ha habido** *or* **haya habido** there has been, there has been going on; **haya de** there is to; **¡habráse visto!** have you ever seen the like! **hubiera** you might (could) have
habío = **habido**
habladuría: —s talk, gossip
hablao = **hablado**
hablar to talk, speak, say; **— con** "to be going with"
hacer to do, make, cause, put, commit, treat, grant; **— caso (a** *or* **de)** to pay attention (to); **— cuenta** to realize; **— mal a** to harm, hurt; **— matar** to have killed; **— noche** to spend the night; **— pedazos** to tear up, tear to pieces; **lo malo que hice** how badly I acted; **lo que hace a mí** as for me; **—se** to become, be, act, grant; **—se a** to become accustomed to; **—se cargo (de)** to take charge (of), bear in mind, realize; **—se como** to act as if; **—se con** to act toward; **—se noche** to grow dark; **hazte cuenta** "figure it out for yourself"
hacia toward
hacienda property, farm
haiga = **haya; haigas** = **hayas; haiga sío** = **haya sido**
hartar to satiate, satisfy; **—se de** to get enough
harto satiated; **estoy — de** I am full of, "I am tired of"
hasta until, even, up to, as far as, to, even to; **— que** until
hecho made, accustomed; **está hecha** she is like, she has turned into; **ya estoy hecha** I'm used to it now
herida wound
herío = **herido** wounded; wounded person; **dejar —** to wound, hurt
herir to wound, shoot, hit
hermana sister
hermano brother; **—s** brothers and sisters
herrén cattle fodder; **—es** fields of grain, piles of fodder
hija daughter; **— de mis entrañas** my darling daughter; **— de mi vida** my darling, poor child; **la — de mi madre** "I"; **una — suya** his own daughter
hijastra stepdaughter
hijo son; **—s** children
historia tale; **—s** talk, gossip
hojuela cake
holgazán lazy; idler, loafer
hombre man; **— de bien** good man; **muy —** grown man; **ser — para** to be man enough to; **los más —s** the strongest men
honra honor, respect, reputation
honrá = **honrada** honored, pure, chaste
hora hour, time; **a su —** on time; **a estas —s** by now, at such an

hour as this; **es buena — de** it is high time to

horca gallows, hanging

hoy today; **el día de —** today; **mismo —** this very day

hubiea = **hubiera; hubiéamos** = **hubiéramos; hubiean** = **hubieran; hubieas** = **hubieras**

huíos = **huídos**

huir (a) to flee (from), run away (from); **huído** "fleeing"; **andar huídos** *or* **dar huídos** to run away, "running away"

humo smoke

icen = **dicen**

idea idea, plan, opinion; **una mala —** an evil intention

idem ditto, the same

igual equal; **— que** just like

ilusión illusion

imbuir to persuade

impedir to hinder, stop

importar to matter, concern, be important, mean

incomodao = **incomodado**

incomodarse to become vexed

indecente indecent, vile

indulto pardon

infamia infamy, baseness

infierno hell

inflamarse to catch fire, explode

inocente innocent; **un —** an innocent man

insolentarse to become insolent

instante instant

insultar to insult

intención intention, meaning, caution, thought, movement; **una mala —** an evil mind, an enemy

interés interest; **llevar —** to mean; **no me ha llevado — ninguno** it meant nothing to me

ir to go, be, come, suit; *used with the present participle as a progressive expressing continued action;* **— con** to bring; **— para** to go to the trouble to; **— para viejo** to grow old; **¿cómo va?** how are you? **ha ido obscureciendo** it has been getting darker; **irá para cinco años que** it must be five years since; **¡qué vas a decirme!** what are you telling me! **¡qué voy a!** why should I? **va a** starts to; **va mejor** he is better; **va para el año** it is going on a year; **va para los doce años** he is only twelve years old; **va para dos años** about two years ago; **vamos a** let's; **vaya** go, come, come on; **¡vaya!** come on now! stop now! well, well! **¡vaya con Dios!** God be with you! **vamos, vamos que** why, well, nonsense (*an emphatic word*); **ve** go on; **voy a que** I am going to see that; **—se** to go away, go off, slip away, leave, start off, set out, pass; **vamos** *or* **nos vamos** *or* **vámonos** we are going, let's go, let's go away, come on; **vete** go on, go away

izquierda left; **a la —** on the left

jarra jar, water jar
¡Jesús! Jesus! Lord have mercy!
jipar = **hipar** to hiccough, cry, pant
joven young
juez judge
juicio trial, suit
juntarse to join, assemble
junto near, near by; — **a** near, next to, close to, beside; — **con** with; —**s** together
jurao = **jurado**
jurar to swear, take an oath
jurisdicción territory, jurisdiction, "neighborhood"
justicia justice; **la** — the police, the law, the court; **los de** — the officers of the law

la the, her, it; — **de** that of; — **de aquí** this one; — **de la Adrada** the one in Adrada; — **de Eusebio** the Eusebio girl (woman) (house) (family); — **que** the one who (whom); — **misma** the same thing
labor: casa de — farmhouse
labrador farmer; —**a** country girl
lado side; **al** — near at hand, beside her; **a los** —**s** on both sides; **salir de su** — to get away from him
ladrón thief
lagrimón large tear
lámpara lamp
lao = **lado**
lapo whipping, thrashing; **llevar** — to get a whipping
largo long
lástima pity; **tener** — **de** to pity
lavar to wash
le him, to him, to her, to it, about it
leal: de — loyal
legua league; **a dos** —**s** two leagues away
lejos far; **a lo** — at a distance, in the distance; **de** — from a distance; **más** — further
lengua tongue; **se fué de la** — "he talked too much"
lentejuela spangles
letra letter, initial
levantao = **levantado**
levantar to rise, raise, start; **cayendo y levantando** up and down; —**se** to rise, get up
ley law, loyalty, grace; **tiene** — **a** is loyal to; **con la ley de Dios** "honestly," "justly"
librar to free, deliver; **¡Dios nos libre!** Lord deliver us!
libre free; **verse** — to go free
licencia permission; **con** — "may I come in?" "excuse me"
limosna alms; **pedir** — to beg
limpiar to clean, wipe
linde margin, border, bank
listo ready
lo him, it; — **de** the question of, the matter of; — **de él** his affair, his case; — **de esta mañana** this morning's affair; — **de Faustino** this Faustino affair; — **nuestro** our own, "our own troubles"; — **otro** the other, the rest; **por** — **que** the reason why; — **que** how much, how, what, that which, the fact that; — **que son las**

cosas as things are, "the truth of the matter is"; — **que haya sido** who it was; — **uno** the first, the former; **por — que** the reason why; **por — que fuera** "whatever the reason was," "for some reason or other"; **todo — del tío Manolito** "everything Manolito had"

lobo wolf

loco crazy, mad; crazy person; **volverse —** to go crazy

locura madness

luego soon, then, later; **pues —** what?

lugar place, town; **dar — a** to cause, give occasion for; **habrá —** there will be time

lumbre fire, light; **dar —** to light

luna moon

luz light; **la — de claro** daylight

llamao = **llamado**

llamar to call, send for; **— tú** to speak the language of affection

llanto weeping, tears

llave key

llegao = **llegado**

llegar to arrive, reach, come, come up; **— a** to succeed in, come in contact with; **— por** to pass by; **a lo que he llegado** "what I have to put up with"; **—se a** to come near to, come up to, touch

llenar to fill

lleno full

llevao = **llevado**

llevar to carry, bear, take away, take, wear, get, have, show, drag, spend; **— encima** to have; **— el rosario** to begin saying the rosary; **— razón** to be right; **—se** to carry off, take away, get, go, leave

llorao = **llorado**

llorar to weep, cry, mourn; weeping; **los que tengo llorados** those I have already wept

Madalena Mary Magdalene (*mentioned in Luke VII: 38, traditionally considered as the repentant or mournful woman*)

madre mother

Madrid Madrid

mal bad, wrong, poor, wicked, insignificant; evil, trouble, harm, sickness; badly, wrongly, in the wrong way; **querer — a** to wish harm to; to love wrongly (unworthily) (illicitly) (carnally); **ando —** I am not feeling well; **hacer mala** to harm, hurt; **lo — que hice** how badly I acted

malamente badly, treacherously, seriously, severely; **ando —** I am not feeling well

maldá = **maldad** wickedness, evil

maldecía = **maldecida** accursed; accursed one

maldecir (de) to curse, damn

maldición curse

malhechor malefactor, evildoer

malo bad, sick, dirty; evil; **lo —** the evil, the trouble, the worst; how badly; **tan — para** bad enough to; **una mala alma** a rogue; **por las malas** by force

malquerer to love *or* desire inordinately (wrongfully) (shamefully) (ignobly) (unworthily) (unbecomingly); to covet, wish harm to, abhor, hate
malquerida wrongly loved; **la Malquerida,** "the maid of shame," "the passion flower," "the ill beloved," "the misbeloved"
mamparo bulkhead, shack
mandao = **mandado**
mandar to command, order, send, tell, send for, send off, want, have
mando command, power
manera manner, way; **de esa —** in that way
mano hand; **— a —** together; **por su —** with his own hands, in their own hands; **poner la — encima** to lay one's hands on, touch; **tomarse por su —** to take into one's hands
mansalva: a — without risk, in a cowardly manner
mañana morning
maquinaria machine, machinery, gadget
marido husband
marío = **marido**
más more, greater, most, best, many, other; **— que** more than, rather than, except; **a —** *or* **a — de** *or* **a — que** *or* **a — de que** besides, also, especially since; **no — que** only; **por — que** *or* **por — de que** although; **los — de** most of, the majority of
matao = **matado**
matar to kill, murder, butcher
mayor greater
mediar to have a part in
médico doctor, physician
medicina medicine, tonic
medio half, middle; **de por —** between, in between; **en —** in the midst, in the middle; **quitar de en —** to put out of the way
mejor better, best, finest; **querer —** to prefer
mejorao = **mejorado** better, improved
mejorar to improve; **—se** to improve, get better
mejorcito a little better; **lo —** the very best
memoria memory
menester need; **ser —** to be necessary
menor least; **la — cosa** the slightest thing
menos except; less, least; **— mal** it is not so bad; **lo — mal** "the best thing"; **no he podido por — de** I couldn't help but, I had to; **por —** at least
mentar to mention
mentira lie
merecido merited, deserved
mesa table
meter to put, put in, shoot; **metido en sí** interested in oneself, preoccupied, busy; **—se** to go in, meddle, interfere
mía = **mira; — si** if only; **— (tú)** look here, consider, "mind you"
miaja bit, little bit

miedo fear; **dar —** to frighten; **por — no** for fear lest; **tener — (a)** to fear, be afraid of; **tomar —** to become afraid; **me entran —s** I become frightened
miedoso fearful, "scary"
mientras while, as long as
mil thousand
mío my, mine
mira sight; **estar a la —** to be on the watch
mirao = mirado; miraos = mirados
mirar to look, look at, see, consider, remember; **— a la cara** to look at; **— con buenos ojos** to approve of; **— de** to consider, "look for a place"; **— por** to take care of, look after, consider; **no — nada** to stop at nothing; **mira tú** look here; **mira si** if only; **—se** to take care; **mírate bien en** be careful of, consider well
misa Mass; **decir —** to say Mass
mismamente same, exactly, even, itself, to a tee
mismito: ahora — right now
mismo same, very, exactly, himself; **aquí —** right here, "on the spot"; **la misma** the same thing; **lo —** the same thing, the same, just the same; **lo — que** just the same as; **lo — le da** it's all the same to her; **ellos —s** they themselves; **los —s** the same ones; **vosotros —s** you yourselves; **¿vuelve usted a las mismas?** you are harping on the same old thing
misterio mystery
mitá = mitad middle, midst
mocedad youth
modo manner, way; **de —** *or* **de — que** so then; **de ese —** in that way; **de otro —** otherwise; **de — y manera que** so that
molino mill
momento moment
monja nun
morir to die; **—se** to die, be dying
motivo motive, reason
moverse to move, stir
moza girl, maid; **buena —** handsome girl, good girl
mozo young; boy; **buen —** good-looking
mu = muy
muchacho boy
mucho much, many
mudar (de) to change
muerta dead woman
muerte death, murder; **de —** fatal; **dar —** to murder
muerto dead; dead man; **— de risa** dying with laughter
mujer woman, wife
multa fine
mundo world; **el —** *or* **todo el —** everybody
mutis exit
muy very

na, náa = nada nothing
nadie nobody, anybody
naide = nadie
naranja orange; **agua de —** orange juice
necesidá = necesidad necessity, need
necesitar to need
negar to refuse, deny

nenguno = **ninguno**
ni not even, nor; **— . . . — . . .** neither . . . nor . . .; **— que fuera** not even
ningún, ninguno no, no one, any
niño child, boy
no no, not
noble noble
nobleza nobleness
noche night; **— cerrada** black night; **de —** at night; **de la — a la mañana** overnight, between night and morning, unexpectedly, suddenly; **esta —** tonight; **hacer —** to spend the night; **hacerse —** to get dark
nombrar to name, mention
nosotros we, us
novio sweetheart, suitor, lover, bridegroom
nuestro our; **lo —** our own, "our own troubles"; **los —s** "our folks"; **Nuestro Señor** Our Lord
nuevo new, young
nunca never, ever

obedecer to obey
obligar to oblige, make
obscurecer to grow dark
obscuro dark; **hacer —** to be dark; **viene —** it is getting dark; **a obscuras** in the dark
ocultar(se) to hide
odiao = **odiado**
odiar to hate
odio hatred
ofender to offend, insult
oído ear; **a mi —** in my ear
oír to hear
ojo eye; **con buenos —s** approvingly; **delante los —s** right before his eyes
oliscar to smell around
olvidar to forget; **—se de** to forget
onza ounce; **— de oro** Spanish doubloon; **— de plomo** bullet
Oraciones Angelus
orden order; **poner —** to fix things up
oro gold
oscuridad darkness; **¡qué — de noche!** what a dark night!
oscuro dark; **viene —** it is getting dark
otro other, another, some; **— tanto** as much; **ser —** to be different; **otra** another thing

pa = **para**
paciencia patience
padrastro stepfather
padre father; **—s** parents
paece = **parece**; **paecen** = **parecen**; **paeces** = **pareces**; **paeciera** = **pareciera**
paeres = **paredes** walls
pagar to pay, pay for
pajaritas little birds
palabra word
pan bread; **—es** loaves of bread
pantalones trousers; **unos —** "a man"
pañuelo handkerchief
par equal
para for, toward, to, by, regarding, as for, enough to, as to, on, because of, "what is the use of"; **— que** in order that; **— qué** for what reason, why; **ser —** to be sufficient to

parabién congratulations, felicitation

parado speechless, dumfounded

parar to stop; **venir a —** to end; **—se** to stop, hesitate

parecer to seem, look like, resemble, appear, show up; opinion; **a él le pareció bien (ella)** "he liked her"; **a ella no le pareció mal** "she seemed pleased"; **me parece** I think so, it seems to me, I think; **no parece sino que** it seems as if; **si te parece** if it seems best to you; **—se** to resemble, feel

parecido similar; **algo —** something like that

parte part, direction, place, source, side; **de su —** on his part, in his name, himself; **de tu —** from you, in your name; **de una — y de otra** *or* **a todas —s** all around, in all directions; **estar de su — de usted** to be on your side; **ninguna —** nowhere, anywhere; **otra —** elsewhere

particular particular, special; **¿qué — tiene?** what is strange about it?

partío = partido split; match, "catch"

partir to split, divide; **— el corazón** to shoot through the heart

pasao = pasado

pasar to pass, pass by, pass through, go through, spend, happen, be the matter with; **— con los ojos** to take a look at, gaze upon; **lo pasado** that which has past; **lo que le pasa** what's the matter with him; **lo que tengo pasado** what I've gone through; **¿qué te pasa?** what's the matter with you? **—se** pass, enter, "spend"

paseo walk, stroll

paso passage, walk, way; **— de** the way to

pastor shepherd

paz peace

peazos = pedazos

pedazo piece; **hacer —s** to tear up, tear to pieces

pedernal flint

pedío = pedido

pedir to ask, ask for, pray, ask for in marriage

pegar to stick, hit, close, shut, beat, strike, attack

pelusa envy, jealousy; **tener —** to be jealous, be envious

pellizco pinch, small bit, share

pena punishment, torment, sorrow; **tiene — de la vida** is accursed, is unlucky, "suffers the sorrows of life"

pendientes earrings

pensamiento thought, mind

pensao = pensado

pensar to think, believe, expect, plan; **— de** to have an opinion about; **— en** to think of; **—se** to be thinking; **pensado** thought, considered, expected, planned; **como lo tuve pensado** as I had planned; **tenéis pensado** do you expect

peor worse

perder to lose, ruin; **—se** to give oneself up

perdición perdition, ruin, terrible condition
perdío = **perdido** lost, caught
perdón pardon, forgiveness
perdonao = **perdonado**
perdonar to forgive, pardon, pay
permiso permission
permitir (de) to permit, allow, consent
pero but
perseguir to pursue, persecute
persona person, one's looks
personaje personage, character
perro dog
pesar to weigh; — **sobre** to grieve
pesaroso (de) sorry (for)
peso weight, worry
picar to prick, bite; **—se** to become offended
pie foot; **a —** on foot; **en —** standing; **estar en —** "to be busy"
piedra stone, jewel
pierna leg
pintar to paint, imagine, "talk"
pisao = **pisado**
pisar to step on; — **una mala yerba** to be poisoned, be irritable
pizca mite, bit
planchar to iron, press
plantao = **plantado**
plantar to break off relations with, jilt, fool; **—se (a)** to stand upright; **se le plantaba** "she would strive"; **dejar plantado a** to break off with, jilt
platicao = **platicado**
platicar to chat, talk
plomo lead; **una onza de —** a bullet
po = **por**
pobre poor; poor fellow; **la —** the poor woman
pobrecitos: los — the unfortunate, the poor
poco little; **en —** almost; **tan —** so little; **un —** a little, a little while; **una poca** a small quantity; **pocas** few
poder to be able, be able to do, may; power, influence; **— contra** to be able to; to harm; **— para** to be able to; **ella puede que** perhaps, it may be that; **no puedo más** I can't stand any more, I am not able; **no podía por menos de** I couldn't keep from; **pudiera ser** it might be; **puede decirse** it may be said, it is possible; **puede que** *or* **puede y que** it may be that, it is possible that, so; **ya no puedo con más** I can't take any more, "I've had enough already"
podío = **podido**
política politics
poner to put, set, put on, bring out, hitch up; **— en la calle** to free; **— la mano encima** to lay one's hands on; **— preso** to arrest; **—se** to become; to put oneself, act, enter; **—se a** to start to; **—se acordes** to agree; **—se de su parte** to stand up for him; **—se de por medio** to intervene, come between; **se te puso** you got
por for, on account of, because of, in order to, regarding, about, as for, from, by, along, on, in, over, around, near, under, in exchange for, for the sake of,

in the name of; — **qué** why, the reason why; — **si** in case; **de** — around; **yo** — **mí** as for me

porfiar to persist, argue, struggle

porque because

portal portal, entrance

posible possible

postre: a la — at last, in the end

precioso precious, lovely, beautiful

pregonar to proclaim

preguntar to ask, question; — **por** to ask about

prender to seize, arrest

preparar to prepare

presentarse to appear

presidio prison

preso prisoner; **poner** — *or* **traer** — to arrest

prestar to lend, suit, agree with

presumir (con) to presume, show off, boast of

pretender to court, be in love with

prevalerse to take advantage; — **de que** to take advantage of the fact that

primero first; **a lo** — in (from) the beginning; **de los primeritos** one of the very first

primo cousin

princesa princess

principiar to begin, start; — **por** to begin with

principalmente especially

principio principle, duty, beginning

prisa hurry; **¿qué — le ha entrao?** "what's your hurry?"

probao = **probado**

probar to prove

proclama banns of marriage

pronosticao = **pronosticado**

pronosticar to foretell; **lo tengo pronosticado** I have known it

pronto soon; **al** — at first; **de** — *or* **en un** — suddenly, all of a sudden; **hasta** — till later; **más** — sooner, as soon as possible; **por** — **que** as soon as; **tan** — so soon

propalar to publish, say, talk

propio one's own, natural; **de** — in itself, natural; —**s** town property

prosa prose

provenir de to arise from; **de ahí proviene** this is the reason

pudiea = **pudiera**

pue, pué = **puede**; **puea** = **pueda**; **pueas** = **puedas**; **puen** = **pueden**; **pueo** = **puedo**; **pués** = **puedes**

pueblo village

puerta door

pues then, well, for, why; *emphatic word*

punto point; **hasta ese** — to that extent, that much

puñalada stab; **dar de** —**s** to stab

puño fist

purgatorio purgatory

que who, whom, that, what, which; for, how, in order that, as, if, whether, when; *introductory word;* — **si** that it is; **a** — because, in order that; **con** — so; **lo** — the fact that; **y** — and indeed; *introductory word;* **nada** — **hacer** nothing to do

¿qué? what? how? what a? how much? why? what kind of? **¡—!** what! indeed! nonsense! **por —** why, the reason why
queará = quedará
quedar to remain, be left; **— con Dios** *or* **queden ustedes con Dios** God be with you; **te queda** you shall have; **—se** to remain, be left, stay, be, become, end up; **—se con** to be left, inherit; **se me ha quedado** I have left; I remember; **—se rezagado** to be left behind
quejarse to complain
quemar to burn, burn up
querío = querido
querer to want, desire, like, wish, love, will, grant, try, be able; love; **— mal a** to wish harm to; to love wrongly (unworthily) (illicitly) (carnally); to hate; **— mejor** to prefer; **— decir(se)** to mean; **¿quiere decirse?** is it possible? **como usted quiera** as you wish; **si Dios quiere** God willing; **quise** I tried; **quisiera** I should like, I might, I could; **no quisiera** I shouldn't like, I don't want
quie, quié = quiere; quiea, quiéa = quiera; quien = quieren; quieo, quiéo = quiero; quies, quiés = quieres
quien who, whoever, one who, the one who, he who, anybody, nobody, someone who, anyone who, whom, the one whom, anyone of whom
¿quién? who?
quince fifteen
quisiea = quisiera; quisieas = quisieras
quitao = quitado after, except for, with the exception of
quitar to take away, let go, stop, quit, get away; **— de en medio** to put out of the way; **—se (de)** to quit, leave, take away, remove, avoid, divert; **—se de delante** to get out; **—se de encima** to throw off; **quitársela** to take her away from him; **quitárseme de delante** "to get out of my sight"
quizá perhaps

rabia rage
rancho mess, place, stretch
rastra track; **traer a la —** to drag
rato little while; **buen —** a great quantity
razón reason, right, argument; excuse, need; **atender a —es** to be reasonable; **dar — de** to account for, explain, give information about; **es —** it is right; **llevar —** *or* **tener —** to be right; **mandar —** to send for
recibir to receive
recoger to pick up, take away
reconocer to examine
recordarse de to remember, recall
redonda neighborhood; **a la —** around, in the neighborhood
redondo round; **caer —** to fall flat, tumble
redrojo puny child, runt
regalao = regalado
regalar to present, make a present of, give presents, treat, pet, caress

reír to laugh; **—se** to laugh; **—se de** to laugh at
reja iron grating
reló = **reloj** watch
remedio remedy; **no tenía —** it couldn't be helped
remoto remote; **ni por lo más —** not the slightest
rendío = **rendido** fatigued, worn out
reñío = **reñido**
reñir to scold
reparao = **reparado**
reparar to observe, notice
reparto cast of characters
reprender to scold
república republic
resistir to resist; **se me resiste a** "I cannot"
respetar to respect
respirar to breathe
resplandor light, glare
responder to answer
retener to retain, hold
rey king
rezagao = **rezagado**; **rezagaos** = **rezagados**; **quedarse —** to loiter, be left behind, lag behind
rezao = **rezado**
rezar to pray; **— el rosario** to say the rosary
ribazo sloping bank, mound
ricamente richly, splendidly; **estar —** *or* **quedarse —** to be happy
rico rich, fine
río river
risa laughter; **muerto de —** dying with laughter
risco crag
robao = **robado**
robar to rob, steal
rodillas: de — on one's knees
romper to break, tear, tear up; **— a llorar** to break into tears
rondar (por) to walk about, go along
ropa clothes; **— blanca** linen
Roque: San — St. Roque's day (August 16); **por San —** on St. Roque's day
rosario rosary
rubio blond
ruido noise
ruina ruin
runrún gossip

saber to know, know how, find out, be able; **— de** to hear of (from); **¡lo sé yo!** *or* **¡qué sé yo!** how do I know! I don't know! **para que usted lo sepa** *or* **sépalo usted** let me tell you; **¿puede saberse?** will you please tell me? **supo** found out, could, was willing
sabío = **sabido**
sacadineros catchpenny, cheap
sacao = **sacado**
sacar to take out, bring out, put out, make up, pass around, draw, find out, discover, reveal
sala room, parlor
salida exit; **a la — de** coming out of
saliea = **saliera**; **salío** = **salido**
salir to go out, come out, leave, go away, come, happen; **— a** to run after, take after, look like; **— al camino** to come out on

the road; **— al encuentro** to go out to meet; **— de** to leave; **podrá —me** "I will get"; **—se con la suya** to have one's own way
salud health **¡—!** hello! greetings!
salvar to save
salvo saved, safe; except for
sangre blood; **la — moza** young blood
San Roque St. Roque's day (August 16); **por —** on St. Roque's day
Santísima most blessed, holy
santo holy; saint; **campo —** graveyard
satisfecho satisfied
secarse to dry up
sed thirst
seda silk
seguía = seguida; de — without interruption, immediately; **en — (de)** right after, at once, immediately
seguir to follow, remain, be
segundo second
seguro sure; **de —** surely; **tener por —** to be sure
seis six
semejante similar; **— cosa** such a thing
sentaos = sentados seated
sentar to set, suit; **le sentó malamente** "she didn't like it at all"; **—se** to sit down
sentenciao = sentenciado
sentenciar to pass judgment, decree
sentido meaning, way, sense; **darse por —** to show resentment; **perder —** to lose consciousness, faint
sentío = sentido
sentir to feel, be sorry for, resent, regret, hear; feeling, belief, opinion, resentment; **—se** to be sorry, feel sorry
señalar to point, point out, name, make known
señor sir, Mr.; **Nuestro Señor** Our Lord
señora madam, Mrs.
señorón grand seigneur, lord
ser to be, become; **— a** to have to, be about to, be ready to, be in the act of; **— de** to belong to; **— para** to be enough to; **con —** being; **es que** the fact is that; **si no es que** unless; **todo será** "it will end up by"; **sea como sea** come what may; **sea quien sea** whoever it may be; **que sea** "that he should be"; **que sea para bien** may it be for the best; **así fuera** even if it were; **ni que fuera** not even; **por lo que fuera** "whatever the reason was"
serio serious, grave
servir to serve, wait on, be of value, be worth while; **para —la** "at your service," "if you please"
si if, that, why, but, whether, why! when, if only, would that; *an emphatic word which often has the use of* **que**; **— a que** as to whether, if; **— es que** why the fact is; **— no** if not, otherwise, anyhow; **por —** in case

sí yes; oneself; *emphatic word;* indeed, of course; — **que** yes indeed, surely, sure, indeed, of course; **de por** — by themselves, of their own accord; **ella de por** — she of her own accord, she herself
siempre always, all the time, ever
silencio silence
silla chair
sin without; — **fin** no end, great number; — **que** without
sino but, except
sío = **sido**
siquiera at least; **ni** — not even; **tan** — even
sobra: de — more than enough
sobrar to be more than enough, be over; **me sobra todo** I have more than enough of everything; **razón tiene usted que le sobra** you are more than right
sobre on, upon, in, for, because of
sobrecoger to surprise, frighten
sobresaltao = **sobresaltado**
sobresaltarse to become frightened
sobresalto startling surprise, fear; **estar para** —**s** to be nervous
sofocar to embarrass, make blush
soliviantao = **solviantado**
soliviantar to incite, arouse
solo alone, single, the only one, deserted; **solas** alone; **a solas** alone
sólo only; **con** — **que** simply, only
soltao = **soltado**
soltar to loosen, set free, "let out"; —**se a** to burst out with, start to
son tune, music
sonada = **sonata** tune; **hacen una** — "they will make trouble"
sonao = **sonado**
sonar to sound
soñao = **soñado**
soñar to dream
soplo warning
sospecha suspicion
sospechar: — **de** to suspect; **demasiado que sospecho** I more than suspect
sotillo little grove
soto grove; **el Soto** the "Grove"; **la del** — the girl that lives in the "Grove"; **los del** — the people from the "Grove"
subastar to sell at auction
subía = **subida**
subida ascent, climb
subir to go up, come up, bring up; —**se** to climb
suceder to happen
sucedío = **sucedido**
sudao = **sudado**
sudar to sweat
suegra mother-in-law
suelo floor
suerte luck; **tener** — to be lucky
supiean = **supieran**
susto fright, scare; **dar** — to frighten; **tener** — to be afraid
susurrar to whisper
su his, her, your, its, their, theirs
suyo his, hers, theirs, yours; **cosa suya** something of her own; **salirse con la suya** to have one's way

taberna tavern
tal such, so

talmente in the same way, indeed
también also
tampoco neither, either
tan so, so much, such a, as much, as long as; — **siquiera** even
tanto so much, as much, so; — **como** as much as; — . . . **como** as much . . . as; — **es así** so things are, "that's all there is to it"; **de** — **como** ever since; **otro** — as much; **para** — so much, so great; **ser para** — to be serious; **otras tantas** as many more
tapar to cover, protect, hide
tapujo pretext, secret
tardao = **tardado**
tardar to delay, be long; **—se** to delay, be late, be long; **¿qué tardó en?** how long did it take?
tarde late; **más** — **o más temprano** sooner or later
tarjeta postal postal card
te thee, you
teatro theater
telón curtain
temblar to tremble
temprano early, soon; **más tarde o más** — sooner or later
tener to have, possess, keep, be the matter with, mean; *used with the past participle as the perfect tense;* — **que** to have to, must, could be; **son para —les miedo** are to be feared, are frightful; **ahí la tienes** here it is, there she is, "look at her"; **lo que tiene ella** what's the matter with her; **no tengo de** shouldn't I; **no tiene remedio** it can't be helped; **¿qué tengo que saber?** how do I know? **tiene que haber** there must be; **tiene que haber sido que** it must have been that; **ya me tienes aquí** here I am; **—se** to be
tenío = **tenido**
tercero third
terminar to finish, end
tie, tié, tiée = **tiene; tien, tién** = **tienen; ties, tiés** = **tienes**
tiempo time
tierra land, ground, field
tío uncle, "old"
tirar to throw, cast, fire, shoot; — **de** to pull at, pull out; — **fuera** to throw away; — **unos tiros** to do some shooting
tiro shot
titubear to hesitate
to, too, tóo = **todo; toa, tóa** = **toda; toas, tóas** = **todas; toos, tóos, tos** = **todos**
tocante a concerning, because of
todavía still, yet, even
todo everything, anything; **a** — all the time; **—s** everybody, all
Toledo *capital of the province of Toledo, 47 miles from Madrid, 25,000 inhabitants. Its Gothic cathedral contains numerous artistic and historic treasures of great value.*
tomao = **tomado**
tomar to take; — **cariño** to show affection; — **miedo** to become frightened; **—se** to take; **—se por su mano** to take into his own hands
tonto foolish; fool
toque ringing

toro bull; **salir al —** to engage the bull, enter the bull ring to fight the bull
trabajador industrious, hard-working
trabajaor = **trabajador**
trabajar to work, till
traer to bring, come; **— preso** to arrest; **¿qué traes?** what do you want? **—se** to bring, get, bring back, bring along
tragar to swallow; **—se** to swallow down
traguete little drink
traición treason; **a —** treacherously
traío = **traído**
trajinar to carry from place to place; to fidget about; **— en** to bother about
tramar to plot, scheme
tranquilo calm, easy; **estar —** to be happy, rest
tras after; **andar —** *or* **venir —** to follow, run after
trastorno disturbance, trouble
tratao = **tratado**
tratar to treat, discuss, talk about; **— de** to discuss
tres three
triste sad, gloomy
tristeza sadness; **da —** it makes one sad; **la — del mundo** a world of sadness
tú: llamar — to speak the language of affection
tumbaos = **tumbados** stretched out
tumbar to fell, knock down, kill
tundieas = **tundieras**
tundir to beat, whip; **— a golpes** to beat
tuyo thine, yours

último last; **la última** the last person
único only; **lo —** the only thing
unido united, together; **andar —s** *or* **estar —s** to stick together
uníos = **unidos**
uno one, I, me; **—s** a few, one, one of each, some, some people; **—s y otros** everybody, anybody; **de —s y otros** by (of) everybody; **una** one, I
urdío = **urdido**
urdir to plot, plan
usted you

valer to be of value, be worth; **¡Dios nos valga!** God help us! **más vale** it is better (so); **no valgo para** I can't stand; **¡valga Dios que!** thank God that! **¡válgame Dios!** God help me! **¡válganos Dios!** God help us! good God!
valiea = **valiera**
valor courage
vaso glass
vejez old age
velar por to watch over
venda bandage
veneno poison
venganza vengeance, revenge
venío = **venido**
venir to come, become, get; **al —** on leaving; **¡venga usted con bien!** welcome!
venta barren place
ventana window
ventolera gust of wind; fit

ver to see, stare at, consider, realize, find; **— de** to try to; **a —** *or* **vamos a —** let's see, tell me; **ella verá** "she will find somebody"; **¡habráse visto!** have you ever seen the like! **que todos lo veamos** "may we all live to see it"; **tú verás si** see to it that; **usted verá** believe me; **visto** seen, considered; **ya lo ve** you can see for yourself; **—se** to be, get, find oneself
verdá = **verdad**
verdad truth; **¿—?** is it not? is it not so? **— que** the truth is that; **¿— usted?** do you mean? isn't it true? **es —** it is true
vergüenza shame, disgrace
vestido clothing
vez time; **cada —** every time; **cuantas veces** every time; **de una —** once and for all; **más de cuatro veces** several times; **más veces** most of the time; **unas veces** sometimes; **veces** "many times"
viaje trip, journey
vían = **veían**
vida life; **de mi —** darling
viea = **viera**; **viéamos** = **viéramos**
viejo old; **ir para —** to grow old
viento wind
vino wine
Virgen Virgin, Virgin Mary; **¡—!** Holy Virgin! goodness! **por la —** for the Feast of the Virgin; **— Santísima del Carmen** most blessed Virgin of Carmen
vista sight; **cómo anda de la —** how her sight is
viuda widow
vivío = **vivido**
vivir to live; living, life
vivo alive
volandas: en — in the air, on their shoulders
voluntad will, desire; **una mala —** an ill will, an enemy
volver to return, turn, come back, go back; **— a** to repeat, do again; **—me a ver** to see myself again; **cuando vuelva que yo sea** when I am again; **te volviste a casar** you married again; **vuelve usted a las mismas** "you are harping on the same old thing"; **—se** to go back, "go back home," return, come back, turn; **—se contra** to turn on; **—se loco** to go crazy
vosotros you
voz voice, talk, gossip; **dar una —** to call; **a voces** aloud, screaming
vuelta: — a back again to; **dar una — a** to have a look at; **estar de —** to be back
vuestro your, yours

y and; *a connective or emphatic word used in colloquial speech*
ya already, yet, now, soon, right now, later, then; **— —** yes indeed; **— no** no longer; **— que** *or* **que —** just as, since
yerba herb, weed; **mala —** bad weed, poison vine
yesca tinder
yo I, me

zarzas brambles